Univers des Lettres Bordas

Sous la direc

M U S S E T

FANTASIO

UN CAPRICE

Comédies
avec une biographie chronologique de Musset, une étude générale de son œuvre, une analyse méthodique de Fantasio, des notes, des questions, des sujets de devoirs

par

Rambert GEORGE
Agrégé des Lettres

Bordas

Bibl. de la Comédie-Française

FANTASIO. - *Comment appelez-vous cette fleur-là, s'il vous plaît ?*
(II, I, l. 568)

Marie Bell (ELSBETH) et Pierre Fresnay (FANTASIO)
Comédie-Française, 1925

I.S.B.N. 2-04-016062-0 – I.S.S.N. 0249-7220.

Cl. Bernand

Elsbeth. - *Que signifie cet accoutrement ?..* (II, I, l. 528)

Mony Dalmès (Elsbeth) et Julien Bertheau (Fantasio)
Comédie-Française, 1954

L'ÉPOQUE DE MUSSET

1810	Mariage de Napoléon et de Marie-Louise. Madame de Staël, *De l'Allemagne.*	**Famille et enfance**
1811	Naissance du roi de Rome. Chateaubriand, *Itinéraire de Paris à Jérusalem.*	
1812	Campagne de Russie. Byron, *Childe Harold* (ch. 1 et 2).	
1813	Bataille de Leipzig.	
1814	Première Restauration. Traité de Paris. Chateaubriand, *De Buonaparte et des Bourbons.*	
1815	Les Cent Jours. Waterloo. Béranger, *Premières Chansons.* Congrès de Vienne.	
La Restauration : Louis XVIII (1815-1824)		
1815	Second Traité de Paris.	
1816	Benjamin Constant, *Adolphe.* Byron, *Manfred.*	
1819	Géricault, *le Radeau de la Méduse.* Publication des œuvres d'André Chénier.	**Collégien**
1820	Assassinat du duc de Berry. Lamartine, *Premières Méditations.* Walter Scott, *Ivanhoé.*	
1821	Mort de Napoléon. Joseph de Maistre, *Soirées de Saint-Pétersbourg.* Gœthe, *Wilhelm Meister.*	
1822	Vigny, *Poèmes.* Hugo, *Odes.* Heine, *Poésies.*	
1823	Guerre d'Espagne. Lamartine, *Nouvelles Méditations; la Mort de Socrate.* Fondation de *la Muse française.*	

LA VIE DE MUSSET (1810-1857)

1810-1828 Alfred de Musset naquit à Paris le 10 décembre 1810. Sa famille, d'origine barroise, était vendômoise depuis le XVIe siècle. Petite noblesse, de robe d'abord, d'épée ensuite. Musset est fier de son aristocratie. Il invoque avec orgueil « l'épervier d'or » qui figure dans les armes de sa famille. Il se flatte de la parenté (très vague) d'un de ses ancêtres avec la famille de **Jeanne d'Arc**, à l'époque où les Musset étaient barrois. De l'époque où ils étaient vendômois, il pouvait revendiquer une bisaïeule descendant des cousins de **du Bellay**. Il réclamait aussi, dans son ascendance, la famille de cette Cassandre Salviati qu'aima **Ronsard**. Et Paul de Musset, qui veut mettre toute la poésie au berceau de son frère, fait remonter la famille au ménestrel **Colin Muset**. Mais, en vérité, Musset n'avait pas besoin de si lointains répondants de sa vocation littéraire. Son père, VICTOR DE MUSSET-PATHAY avait, entre autres ouvrages, écrit l'*Histoire de la vie et des œuvres de Jean-Jacques Rousseau* et donné une édition du maître de la sensibilité. Son grand-père maternel GUYOT-DESHERBIERS fréquentait les milieux littéraires et scientifiques de son temps, était l'ami de Carmontelle et composait lui-même des poèmes : on trouverait des traits de son caractère chez certains des personnages du théâtre de Musset. Le futur poète grandit dans ce milieu, enfant choyé, nerveux, et, semble-t-il, précocement passionné. Un souvenir de sa passion enfantine pour sa cousine CLÉLIE peut s'être glissé dans *On ne badine pas avec l'amour*. Les contes arabes et les romans de chevalerie l'intéressent, jusqu'au moment où il entre comme externe au **Collège Henri IV**, en 1819. Fut-il mal accueilli au début par ses camarades? Ce qui est certain, c'est qu'il s'y fit par la suite des amis, comme le duc de Chartres, fils du futur Louis-Philippe, et Paul Foucher, le beau-frère de Hugo. C'est aussi qu'il y fut un brillant élève, avec le premier prix de dissertation française en Philosophie et le second prix de dissertation latine au concours général, en 1827. Au lendemain de ces succès, tel Perdican nouvellement docteur, Musset retrouve en vacances, au château du vieux marquis de Cogners, les deux amies dont il se souviendra dans *A quoi rêvent les jeunes filles*, et il confiera ses pensées intimes à son ami Paul Foucher dans deux lettres, l'une du 23 septembre 1827 (*je ne voudrais pas écrire ou je voudrais être Schiller ou Shakespeare*), l'autre du 17 octobre (*la poésie est sœur de l'amour*).

1828-1829 Refus de se plier à la routine d'une carrière, ardeur au plaisir, naissance d'une vocation littéraire : tels sont, sous le signe de l'indépendance et de la fantaisie, les traits essentiels de la vie de Musset en 1828 et 1829.

Charles X (1824-1830)

1824	Mort de Louis XVIII et avènement de Charles X. Mort de Byron en Grèce. Charles Nodier, bibliothécaire de l'Arsenal. Hugo, *Nouvelles Odes.* Delacroix, *les Massacres de Scio.*	**Étudiant**
1825	Stendhal, *Racine et Shakespeare.* Mérimée, *Théâtre de Clara Gazul.* Lamartine, *le Dernier Chant du pèlerinage de Childe Harold.* Mort de David.	
1826	Hugo, *Odes et Ballades.* Vigny, *Poèmes antiques et modernes; Cinq-Mars.*	
1827	Bataille de Navarin. Hugo, *Préface de Cromwell; Cromwell.* Manzoni, *les Fiancés.* Mort de Beethoven. Scribe, *le Mariage d'argent.* Départ de Villèle. Ministère Martignac.	
1828	L'indépendance de la Grèce est proclamée. Une troupe de comédiens anglais joue Shakespeare à Paris. Sainte-Beuve, *Tableau de la poésie française au XVIe siècle.* Cours de philosophie de Victor Cousin. Mort de Goya. Mort de Schubert.	**Vocation poétique**
1829	Ministère Polignac. Fondation de la *Revue des Deux Mondes.* Alexandre Dumas, *Henri III et sa cour.* Vigny, *Othello.* Mérimée, *Chronique du règne de Charles IX.* Sainte-Beuve, *Vie, Pensées et Poésies de Joseph Delorme.* Hugo, *les Orientales.* Rossini, *Guillaume Tell.*	

1828-1829 Sur le premier point, il suffit de constater qu'après avoir refusé d'être polytechnicien Musset fera semblant un instant d'étudier le **droit** (ne disait-il pas à Paul Foucher, dans sa lettre du 23 septembre 1827 : « Ni toi ni moi ne sommes destinés à ne faire que des avocats estimables ou des avoués intelligents »), puis se dégoûtera vite de l'étude de la **médecine**, pour s'intéresser enfin à la musique et à la peinture. Le 1er avril 1829, il deviendra, sur la recommandation paternelle, l'employé peu assidu d'une entreprise de chauffage militaire : il y restera dix mois et échappera de justesse à une nouvelle recommandation de son père, cette fois pour les bureaux du ministère de la Guerre.

L'ardeur au plaisir naît à la fois d'une jeunesse libre et du milieu que fréquente Musset. Ses amis d'alors, ce sont d'abord Alfred Tattet, riche, cultivé, jouisseur délicat, et Ulric Guttinguer, auréolé du prestige d'une passion douloureuse. La désolation de Guttinguer a peut-être inspiré *Rolla* ; et le Desgenais de *la Confession*, c'est Alfred Tattet. Mais Musset a d'autres amis, de jeunes dandys : Roger de Beauvoir, le comte d'Alton-Shée, le comte Belgiojoso. Musset s'habille avec une élégance raffinée, il danse, joue la comédie, organise des parties fines. Il a ses premières maîtresses. Paul de Musset se montre discret sur les aventures de son frère, tout en les affirmant « boccaciennes ou romanesques ». Il évoque pourtant une femme, Mme Beaulieu, qu'Alfred allait voir à Saint-Ouen; elle semble avoir voulu faire jouer à Musset le rôle dévolu à Fortunio dans *le Chandelier*. Et *la Confession d'un enfant du siècle* nous explique comment une première trahison rendit le poète défiant en amour. Vie à la fois délicieuse et dangereuse pour Musset : un idéalisme insatisfait combat déjà l'épicurisme. « Votre frère, confiait à Paul de Musset Prosper Chalas, rédacteur au *Temps*, est destiné à devenir un grand poète; mais en lui voyant cette figure-là, cette vivacité aux plaisirs du monde, cet air de jeune poulain échappé, ces regards qu'il adresse aux femmes et ceux qu'elles lui renvoient, je crains fort pour lui les Dalila » (*Biographie d'Alfred de Musset*, p. 81).

La vocation poétique ne s'est manifestée d'abord que par deux ballades : *la Nuit* (1826), *le Rêve* (1828). « Une sincérité foncière l'empêche de forger à coup de volonté une œuvre vers laquelle son cœur ou son imagination ne le pousserait pas naturellement » (Van Tieghem, *Musset*, 1944, p. 14). En 1828, Paul Foucher l'introduit dans le **Cénacle**. Soit chez Nodier, dans son salon de l'Arsenal, soit chez Hugo, rue Notre-Dame-des-Champs, Musset fréquente la jeunesse romantique; il se lie avec Sainte-Beuve et Vigny. Il publie en octobre 1828 une traduction librement adaptée de *l'Anglais mangeur d'opium* de Quincey. Il écrit en 1829 des poèmes qui ne seront publiés qu'après sa mort. En décembre 1829, il publie les *Contes d'Espagne et d'Italie.*

1830	Prise d'Alger.	**Au Cénacle**
	Les ordonnances.	
	Révolution de Juillet.	
	Hugo fait jouer *Hernani* au Théâtre-Français le 25 février.	
	Lamartine, *Harmonies poétiques et religieuses.*	
	Armand Carrel fonde *le National* avec Thiers et Mignet.	

Louis-Philippe (1830-1848)

1830	Louis-Philippe Ier, roi des Français.	
	Révolution en Belgique.	
	Insurrection en Pologne.	
	Ministère Laffitte.	
	Procès des ministres de Charles X.	**Déshérité**
	Auguste Comte commence à écrire son *Cours de philosophie positive.*	
	Sainte-Beuve collabore à la *Revue des Deux Mondes* et à la *Revue de Paris.*	
	Lamennais fonde *l'Avenir.*	
	Balzac publie *la Maison du chat qui pelote* et *Gobseck.*	
	Stendhal, *le Rouge et le Noir.*	
1831	Ministère Casimir Périer.	
	Vote de la loi sur l'organisation des gardes nationales.	
	Répression du mouvement des canuts de Lyon.	
	Alexandre Dumas, *Antony.*	
	Vigny, *la Maréchale d'Ancre.*	
	Barbier, *Iambes.*	
	Hugo, *les Feuilles d'automne.*	
	Sainte-Beuve, *les Consolations.*	**Mort du père**
	Hugo, *Notre-Dame de Paris.*	
	Balzac, *la Peau de chagrin.*	
	Delacroix, *la Liberté guidant le peuple* (ou *les Barricades*).	

1830-1833 Passions mortelles, rythmes audacieux, influence de Byron, Espagne et Italie : voilà le romantisme. Mais l'esprit et la fantaisie sont la marque de Musset. A côté des amours sanglantes de *Don Paëz* et de *Portia*, voici le jeu allègre de l'amour et du cynisme dans *Mardoche*. *Les Marrons du feu* sont soupçonnés d'être une parodie d'*Andromaque*, mais ce drame sombre se termine par une pirouette. Quelques poèmes expriment un sentiment personnel et profond, la *Ballade à la lune* est un chef-d'œuvre de virtuosité. Les dons du poète éclatent partout dans cet ensemble disparate. La préface est une affirmation d'indépendance. Tout en s'inspirant de ses amis romantiques, Musset prend ses distances. Le public s'amuse et se scandalise de la *Ballade à la lune*. La critique s'intéresse au recueil, soupçonne quelquefois une intention parodique, se montre souvent sévère, parfois même outrageante. Désiré Nisard critique le recueil, mais déclare préférer « un poète sans sujet à un sujet sans poète ». La tante chanoinesse déshérite Musset — son frère aussi par la même occasion. Le poète n'en obtient pas moins une célébrité qui ne sera pas sans danger. Pour une partie du public, il représente les outrances du romantisme. Or il va nettement affirmer son indépendance à l'égard de ce mouvement dans deux poèmes publiés en 1830, l'un en juillet : *les Secrètes Pensées de Rafaël, gentilhomme français*; l'autre en octobre : *les Vœux stériles*. Il marque sa volonté de renouer avec la tradition antique — « Grèce, mère des arts, terre d'idolâtrie » — et celle d'être un poète pour lequel sa création est la seule mission, position qu'il confirmera dans *la Revue fantastique*, série d'articles publiés dans *le Temps* en 1831. Cette double tendance contredit au moins certains aspects de l'idéal romantique après 1830.

L'indépendance de Musset ne fut peut-être pas étrangère à l'échec de ses débuts au théâtre. Au moment de la Révolution de Juillet, une pièce de lui, *la Quittance du diable*, était acceptée aux Nouveautés. Elle ne put être jouée. Mais Harel, directeur de l'Odéon, demanda une autre pièce à Musset. *La Nuit vénitienne*, un acte qui ne manque ni de nuances psychologiques ni de poésie, fut sifflée par un public mis en joie par une bévue de l'interprète principale, et qui n'avait pas oublié *les Contes*. Échec important : il ne va pas détourner Musset de la forme dramatique, mais il va l'amener à concevoir un théâtre librement écrit, qui sera publié et non joué, et dont le lecteur se fera pour lui-même la représentation. Les débuts de Musset dans ce genre datent de 1832. En 1831, il n'a publié que deux contes en vers : *Octave* et *Suzon*. Mais le 8 avril 1832, **son père meurt**. Musset, qui croit compromise la fortune de la famille, songe à se créer une situation d'écrivain : il publie en décembre 1832 *le Spectacle dans un fauteuil* qui comprenait, à l'origine, deux pièces

1832	Épidémie de choléra : vingt mille victimes à Paris, dont le père de Musset. Mort de Casimir Périer. Manifestations aux funérailles du général Lamarque, émeute et barricades. Constitution d'un grand ministère sous la présidence du maréchal Soult. Mort du naturaliste Cuvier. Mort de Gœthe. Mort de Walter Scott. Théophile Gautier publie *Albertus.* Brizeux publie *Marie.* Hugo fait jouer *le Roi s'amuse*, mais la pièce est interdite après la première représentation. Casimir Delavigne fait jouer *Louis XI.* Alexandre Dumas fait jouer *la Tour de Nesle.* George Sand publie *Valentine* et *Indiana.* Vigny publie *Stello.* Balzac publie *le Colonel Chabert* et *le Curé de Tours.*	**Homme de lettres**
1833	Une loi préparée par Guizot organise l'enseignement primaire. Hugo fait jouer, en février, *Lucrèce Borgia* et, en novembre, *Marie Tudor* au théâtre de la Porte Saint-Martin. Scribe, *Bertrand et Raton.* Béranger publie son cinquième et dernier recueil de *Chansons.* Balzac publie *Eugénie Grandet, l'Illustre Gaudissart, le Médecin de campagne, Louis Lambert.* George Sand publie *Lélia.* Gœthe, *Second Faust.* Jouffroy, *Mélanges philosophiques.* Barye, *Lion écrasant un serpent.*	**George Sand**

seulement : un poème dramatique, *la Coupe et les Lèvres*; une comédie, *A quoi rêvent les jeunes filles*.

1830-1833 Pour donner au livre le volume requis par l'éditeur, Musset écrit très vite un poème : *Namouna*.

L'influence shakespearienne s'est exercée, celle de Byron est toujours présente. Mais surtout, à travers ses héros — Frank, don Juan ou même Hassan —, Musset exprime le tourment intime de sa vie. La courtisane de *la Coupe et les Lèvres* tue la jeune fille, comme la débauche tue l'amour. Don Juan s'exalte dans une poursuite impossible de l'amour unique. L'œuvre est remarquable, en dépit des outrances et de la déclamation. Cependant, les amis de Musset restent froids à la lecture, et la critique se montre divisée ou se tait. Sainte-Beuve seul fait un éloge lucide de la pièce. Musset n'en poursuit pas moins son œuvre. Il est en pleine période créatrice. Sa collaboration avec Buloz, le directeur de la *Revue des Deux Mondes*, commence à ce moment. Le 1er avril 1833, elle publie *André del Sarto*; le 15 mai, *les Caprices de Marianne*; le 15 août, *Rolla* : trois drames de l'amour (si l'on ignorait la date de composition d'*André del Sarto*, on pourrait croire la pièce influencée par la liaison avec George Sand). *Les Caprices de Marianne* nous présentent, avec Octave et Célio, les deux visages de Musset. C'est le Musset rêvant d'un amour éternel qui est tué. Dans l'univers de *Rolla*, où tout s'écroule, l'amour est le seul salut... Mais le moment arrive où Musset va faire l'expérience de la grande passion. Quand *Rolla* paraît, le poète est déjà l'amant de George Sand.

1833-1835 Ils se rencontrèrent pour la première fois à l'occasion d'un dîner de la *Revue des Deux Mondes*. Pour la date de cette première rencontre, les biographes hésitent entre mars et juin 1833. George Sand a vingt-neuf ans. Sa vie fut agitée. Mariée jeune à Casimir Dudevant, elle est venue en 1831 à Paris retrouver son jeune amant Jules Sandeau, avec lequel elle écrit *Rose et Blanche*. En 1832, elle a signé **George Sand** deux romans : *Valentine* et *Indiana*. Au début de 1833, venant de rompre avec Jules Sandeau, elle écrit *Lélia*. Elle connaît Sainte-Beuve, Gustave Planche, Alexandre Dumas, Mérimée. Sa liberté d'allures et de mœurs, sa manière de s'habiller lui confèrent une originalité un peu tapageuse. Le jour de la rencontre avec Musset, elle porte une veste brodée d'or et un poignard turc à la ceinture. Musset trouva, dit-on, que cette tenue manquait de goût. Elle, de son côté, trouva Musset trop dandy. Pourtant, le 24 juin, Musset envoie à George Sand des vers sur un épisode d'*Indiana*; elle lui répond : « J'avais eu parfois la fatuité de croire qu'il existait entre Hassan et Raymond, entre Frank et Lélia une secrète et douloureuse fraternité »; et elle fait allusion

1834	Loi contre la *Société des droits de l'homme* votée le 25 mars. Insurrections de Lyon, de Grenoble, de Saint-Étienne, de Marseille, de Paris (9-13 avril). Massacre de la rue Transnonain (14 avril). Démission de Soult, remplacé par le maréchal Gérard en juillet. Démission du cabinet tout entier le 4 novembre : il revient quelques jours après, avec le maréchal Mortier comme président. Traité de Londres transformant en Quadruple Alliance, avec la participation de la France, la Triple Alliance conclue entre l'Espagne, le Portugal et la Grande-Bretagne (avril). Ampère, début de l'*Essai sur la philosophie des sciences.* Augustin Thierry, *Dix ans d'études historiques.* Sainte-Beuve publie *Volupté.* Lamennais publie les *Paroles d'un croyant.* Balzac publie *la Recherche de l'absolu* et *le Père Goriot.* Mort du poète, critique et philosophe anglais Coleridge.	**L'aventure de Venise** **Retour à Paris**
1835	Attentat de Fieschi contre le roi (juillet). Vote des lois de septembre (lois de répression contre le parti républicain). En mars, le duc de Broglie a remplacé le maréchal Mortier à la présidence du Conseil. Tocqueville publie *la Démocratie en Amérique.* Balzac publie *le Lys dans la vallée.* Vigny publie *Servitude et Grandeur militaires.* Hugo publie *les Chants du crépuscule.* Hugo fait jouer *Angelo, tyran de Padoue.* Vigny fait jouer *Chatterton.*	

à une strophe de *Namouna.* Au début de juillet, Musset lui écrit : « Mon cher George, j'ai quelque chose de bête et de ridicule à vous dire. Je suis amoureux de vous. » A la fin du mois, ils sont amants. Les premiers temps de leur liaison se passent à Paris. Le 25 août, George Sand parle ainsi de Musset à Sainte-Beuve : « C'est un amour de jeune homme et une amitié de camarade. C'est quelque chose dont je n'avais pas l'idée, que je ne croyais rencontrer nulle part, et surtout là. Je l'ai niée, cette affection, je l'ai repoussée, je l'ai refusée d'abord, et puis je me suis rendue, et je suis heureuse de l'avoir fait. Je m'y suis rendue par amitié plus que par amour, et l'amitié que je ne connaissais pas s'est révélée à moi sans aucune des douleurs que je croyais accepter. » Au cours de cette période, les amants ont fait un séjour à Fontainebleau, probablement au mois d'août. C'est là, dans les **rochers de Franchard**, que Musset eut une hallucination qui lui aurait montré un spectre de lui-même tel qu'il l'évoquera dans la *Nuit de décembre.* Y eut-il d'autres incidents? Ils décidèrent de partir pour l'**Italie**; et, après que George Sand elle-même eut obtenu par ses larmes le consentement de la mère de Musset, ils partirent le 12 décembre. Ils visitèrent plusieurs villes d'Italie, arrivèrent à Venise le 30 décembre. George Sand avait été malade pendant le voyage. En janvier, elle travaille beaucoup. Musset visite Venise et se divertit. Le 4 février, c'est lui qui tombe malade : typhoïde nerveuse. George Sand le soigne avec dévouement. Elle fait venir un jeune médecin italien, PAGELLO, dont elle devient la maîtresse. Musset s'en aperçoit. Plusieurs scènes violentes ont lieu. Mais il se résigne. Mieux : dans son exaltation, il les « donne » l'un à l'autre. Guéri enfin de sa maladie, il part pour Paris le 29 mars.

Dès son retour, il écrit à George Sand. Correspondance étrange par l'exaltation de Musset et par les conseils quasi maternels de George Sand. Ils ne se sont jamais écrit avec une telle tendresse. Le 14 août 1834, George Sand rentre à Paris, accompagnée de Pagello. Elle revoit Musset. Il part pour Bade, elle pour Nohant. Après son retour de Bade, en octobre, il la revoit à Paris. Pagello repart pour Venise le 23 octobre. Mais il a fait des confidences à Alfred Tattet, qui provoque une rupture, suivie d'une reprise. George Sand écrit son *Journal intime.* Elle est en plein désarroi. Elle promet de ne pas revoir Musset. Elle le reverra cependant en janvier, et ce sera la dernière période de leur liaison, la plus cruelle, semble-t-il. Le 6 mars 1835, elle part pour Nohant. Le grand amour romantique avait vécu. « Ils se sont aimés, ils se sont heurtés, ils se sont déchirés, ils se sont enfin exaltés et épuisés dans une fièvre et presque une folie de ruptures et de reprises [...]. L'intérêt [d'un tel drame] est de présenter, comme l'a montré Charles

1836	Thiers, président du Conseil en février, doit démissionner en septembre. Il est remplacé par Molé (avec Guizot). En octobre, échec à Strasbourg d'une tentative de Louis-Napoléon Bonaparte pour s'emparer du pouvoir. Dickens publie *les Aventures de Monsieur Pickwick.* Lamartine publie *Jocelyn.* Alexandre Dumas fait jouer *Kean.* Meyerbeer fait représenter *les Huguenots.* Mort d'Armand Carrel. Mort d'Ampère.	**« La Confession... »**
1837	La Chambre repousse la loi d'apanage, provoquant ainsi la démission de Guizot. En Algérie, traité de la Tafna avec Abd-el-Kader et prise de Constantine. Inauguration des lignes de chemin de fer de Saint-Germain et de Versailles. Sainte-Beuve publie les *Pensées d'août.* Hugo publie *les Voix intérieures.* Dickens publie *Oliver Twist.* George Sand publie *Mauprat.* Rude sculpte, sur l'Arc de Triomphe, le groupe du Départ des volontaires.	**Liaisons diverses**
1838	Lamartine publie *la Chute d'un ange.* Théophile Gautier publie *la Comédie de la mort.* Edgar Poe publie *Arthur Gordon Pym.* Victor Hugo fait jouer *Ruy Blas.* Liaison de George Sand et de Chopin.	**Les « Nuits »**
1839	Molé donne sa démission (mars). Le maréchal Soult président du Conseil. Échec d'une tentative d'insurrection : Barbès et Blanqui condamnés à mort, puis graciés. Lamartine publie les *Recueillements.* Stendhal publie *la Chartreuse de Parme.*	

Maurras, un bon exemple et d'être un bon symbole d'une certaine conception romantique de l'amour. » (Allem, *op. cit.*, p. 89-90). Mais, chez Musset, le tumulte intérieur favorise la création : c'est dans l'exaltation qu'il se réalise le mieux. Au début de la liaison, il avait composé « **Fantasio** », qui parut le 1er janvier 1834. Il avait aussi sans doute (voir l'éd. *U.L.B.*, p. 26 et suiv.) ébauché *On ne badine pas avec l'amour* dont l'essentiel fut écrit après son retour de Venise. Et il a écrit *Lorenzaccio*; à George Sand il en doit non seulement le sujet, mais l'ébauche. En effet, elle avait utilisé un texte du chroniqueur italien Varchi et, renonçant à traiter elle-même le sujet, elle avait confié son manuscrit à Musset. Elle se trouve donc à l'origine d'une pièce unique en son genre, la seule de notre théâtre qui puisse rivaliser avec le drame de Shakespeare. Enfin, c'est George Sand qu'il faut chercher dans *la Confession d'un enfant du siècle.* Musset y voulut faire une peinture idéale de la femme qu'il avait aimée, et glorifier l'amour au-delà des souffrances qu'il cause. Du même coup, il définissait le nouveau « mal du siècle », celui de la génération de 1830. Des fragments de *la Confession* parurent dès septembre 1835 dans la *Revue des Deux Mondes*; l'ouvrage entier parut en février 1836. Il est probable qu'il avait été composé après la rupture définitive, durant le printemps et l'été 1835.

1835-1843 L'influence de George Sand sur la suite de l'œuvre d'Alfred de Musset ne doit pas être exagérée. Son souvenir reste présent chez le poète, fût-ce d'une manière lointaine. Mais, revenu à sa vie de plaisirs, Musset noue plusieurs liaisons, sans parvenir jamais à se fixer. En 1835, c'est **madame Jaubert**, à laquelle il adresse les poèmes *A Ninon*, et qui deviendra, après une brève liaison, une amie sûre qu'il appellera sa marraine. C'est elle — et non George Sand — qui a inspiré la *Nuit de décembre*, la *Lettre à Lamartine* et *Emmeline.* Autre liaison, en 1836, avec une grisette, **Louise**, qui inspirera *Frédéric et Bernerette* et, plus tard, *Mimi Pinson.* En 1837, **Aimée d'Alton**, jeune fille de vingt ans, inspire la *Nuit d'octobre*, et se devine dans la Béatrice du *Fils du Titien.* Elle est riche, elle voudrait épouser Musset; il s'éloigne en 1838. En 1839, liaison avec la célèbre tragédienne **Rachel**. Vainement, Musset s'éprend de la **princesse Belgiojoso** qu'il évoquera en 1842 dans les stances *A une morte.* Ainsi, de 1835 à 1838, s'épanouit le lyrisme personnel. La *Nuit de mai*, la *Nuit de décembre*, la *Lettre à Lamartine* sont de 1835. La *Nuit d'août* est de 1836, les *Stances à la Malibran* de 1836, la *Nuit d'octobre* de 1837, et *l'Espoir en Dieu* de 1838. Après cette date, un seul grand poème de cette veine naîtra d'une visite à Fontainebleau : *Souvenir* (1841). Si l'on excepte cette dernière œuvre, d'inspiration plus sereine, c'est autour du lien entre la poésie et la douleur que se développe

1840	Thiers, au pouvoir en mars, démissionne en octobre ; Soult et Guizot lui succèdent. Louis-Napoléon est enfermé au fort de Ham. Victor Hugo publie *les Rayons et les Ombres.* Augustin Thierry, *Récits des temps mérovingiens.* Mérimée publie *Colomba.* Louis Blanc, *l'Organisation du travail.*	
1841	La Convention des Détroits règle la crise orientale. Balzac publie *Ursule Mirouët.* Delacroix, *Prise de Constantinople par les Croisés.* Lamartine, *la Marseillaise de la paix.*	**Bibliothécaire**
1842	Affaire Pritchard. Mort du duc d'Orléans. Gogol publie *les Ames mortes.* Aloysius Bertrand, *Gaspard de la nuit.* Auguste Comte achève *la Philosophie positive.*	
1843	Hugo, *les Burgraves* (drame). Ponsard, *Lucrèce* (tragédie). Mort de Léopoldine Hugo. Macaulay publie ses *Essais.*	
1844	Sainte-Beuve, *Portraits littéraires.* George Sand publie *François le Champi.* Alexandre Dumas, *les Trois Mousquetaires.* Eugène Sue, *les Mystères de Paris.* Michelet interrompt son *Histoire de France :* six volumes publiés (1833-1844).	**Pleurésie - Alcool**
1845	Mérimée publie *Carmen.* Théophile Gautier publie *España.*	
1846	Le Verrier découvre la planète Neptune. Sainte-Beuve, *Portraits contemporains.* Littré, *De la Philosophie positive.*	
1847	Campagne des banquets. Reddition d'Abd-el-Kader.	
1848	Révolution de février en France. Les révolutions européennes.	**Académicien**

l'inspiration de Musset. « Le poète qui souffre peut-il rester poète? et si oui, quelle doit être sa poésie? » (Van Tieghem, *op. cit.*, p. 113).

L'œuvre poétique ne se borne pas d'ailleurs à ce lyrisme. *La Loi sur la presse* est de 1835, *le Rideau de ma voisine* de 1836, *Une Soirée perdue* de 1840, *le Rhin allemand* de 1841; enfin le poème *Sur la paresse* que Sainte-Beuve préférait à la *Nuit de mai* est de 1842. Musset poursuit aussi son œuvre dramatique. Mais il s'en tient à la comédie et au Proverbe : *Barberine* et *le Chandelier* en 1835, *Il ne faut jurer de rien* en 1836, **« Un Caprice »** en 1837. C'est aussi l'époque où les *Lettres de Dupuis et Cotonet* (septembre 1836-février 1837) développent une critique amusante mais un peu étroite du romantisme. Enfin, d'août 1837 à février 1839, il écrira une première série de contes en prose : *Emmeline* (août 1837), *les Deux Maîtresses* (novembre 1837), *Frédéric et Bernerette* (janvier 1838), *le Fils du Titien* (mai 1838), *Margot* (octobre 1838), *Croisilles* (février 1839). Ces contes, légers et nuancés, eurent du succès, mais ils coûtaient beaucoup de peine à leur auteur. De son irritation naquit *le Poète déchu* dont il ne nous reste que quelques fragments. Musset n'écrivait plus que poussé par des besoins d'argent. Sa situation matérielle était en effet difficile. Elle fut allégée en 1838 par sa nomination au poste de bibliothécaire au ministère de l'Intérieur. Mais Musset marche rapidement vers son déclin. Dès 1841, le sonnet *Tristesse* dresse un bilan. Les quinze années qui séparent le poète de la mort verront encore des œuvres intéressantes, mais les grandes sources de l'inspiration sont presque taries.

1843-1857 « Au commencement de 1843, Alfred de Musset venait d'avoir trente-deux ans. C'était donc un homme jeune, mais il était précocement vieilli. Il y avait en lui un fonds d'incurable tristesse et d'incurable ennui. Malgré quelques périodes de travail et la satisfaction de quelques honneurs rendus à son talent, les quinze années qu'il avait à vivre encore en furent tout assombries. Il se distrayait pourtant, comme il pouvait : il tâchait, du moins, de se distraire. Il allait au théâtre, il fréquentait quelques salons, et il s'y montrait, comme toujours, spirituel ; il jouait beaucoup aux échecs [...]. Il buvait aussi, et beaucoup trop. » Tel est le tableau que nous fait Maurice Allem d'Alfred de Musset en 1843 (*op. cit.*, p. 236), tableau qui demeurera vrai jusqu'à la fin ; l'émotivité du poète allait en s'accentuant, les crises nerveuses se renouvelaient périodiquement, le poète était souvent malade, sans parler de l'insuffisance aortique qui provoquera sa mort. Sa vie sentimentale, durant cette période, est surtout représentée par sa liaison (1849-1850) avec une actrice qui avait beaucoup contribué au succès d'*Un caprice* : **madame Allan** ; liaison orageuse, coupée de brouilles. Plus tard, liaison de quelques mois avec **Louise Colet.** La vie matérielle de

Seconde République (1848-1852)		
1848	Lamartine au Gouvernement provisoire. Élections républicaines. Journées de Juin. Constitution de 1848. Louis-Napoléon président de la République. Mort de Chateaubriand. George Sand, *la Mare au Diable.* Dumas fils, *la Dame aux camélias.*	
1849	Élections à la Législative : victoire de la droite. Chateaubriand : publication incomplète des *Mémoires d'outre-tombe.* Mort de Chopin.	
1850	Loi Falloux sur l'enseignement. Wagner, *Lohengrin.* Mort de Balzac. Sainte-Beuve : début des *Lundis.*	**Le déclin et la mort**
1851	Coup d'État du 2 décembre.	

Second Empire (1852-1870)		
1852	Napoléon III empereur. Théophile Gautier, *Émaux et Camées.* Leconte de Lisle, *Poèmes antiques.*	
1853	Hugo, *les Châtiments.* Mort d'Arago.	
1854	Guerre de Crimée (1854-1856). Nerval, *les Filles du feu.*	
1855	Michelet reprend l'*Histoire de France.* Dumas fils, *le Demi-Monde.*	
1856	Hugo, *les Contemplations.*	
1857	Baudelaire, *les Fleurs du mal.* Flaubert, *Madame Bovary.* Théophile Gautier, *l'Art.* Taine, *Essais de critique.*	

Musset fut compromise en 1848, quand il fut révoqué de son poste de bibliothécaire au ministère de l'Intérieur. Mais, en 1853, il fut nommé par Fortoul bibliothécaire au ministère de l'Instruction publique. L'année précédente, il était entré à l'**Académie française**. Surtout, entre 1847 et 1851, son théâtre était en partie sorti de l'ombre, et avait connu quelques brillants succès. L'œuvre de ces quinze années comprend encore des poèmes, parmi lesquels il faut citer : en 1844, *A mon frère revenant d'Italie*; en 1849, *Sur trois marches de marbre rose*; en 1852, *Souvenir des Alpes*. Le théâtre s'enrichit de comédies ou de Proverbes : *Il faut qu'une porte soit ouverte ou fermée* (1845); *On ne saurait penser à tout* (1849); *Louison* (1849); *Carmosine* (1850). *Le Songe d'Auguste* (1853) ne fut publié qu'après la mort de Musset. Enfin, de 1842 à 1846, nouvelle série de contes : *Histoire d'un merle blanc* (1842); *Pierre et Camille* (1844); *le Secret de Javotte* (1844); *les Frères Van Buck* (1844); *Mimi Pinson* (1846). Le dernier — un des meilleurs — paraîtra en 1853 et 1854 : *la Mouche*. Ces œuvres ne sont pas négligeables. Mais elles représentent peu de chose, en comparaison de celles des dix années précédentes. Quand Musset mourut, le 2 mai 1857, il était un peu oublié : il fallut la fidélité de Mérimée et de Vigny pour que le défunt pût reposer, conformément à son dernier vœu, sous la « pâleur douce et chère » du saule symbolique dont il avait aimé le « feuillage éploré ». Son collègue à l'Académie, Vitet, put dire, en prononçant l'éloge funèbre : « Si peu qu'il ait vécu, il avait fait sa tâche et laisse un nom qui ne périra pas. »

Les aînés de Musset et ses cadets

Chénier (1762)		Th. Gautier (1811) ....
.G. de Staël (1766)		Leconte de Lisle (1818) ....
..Chateaubriand (1768)		Baudelaire, Flaubert (1821) ..
...Stendhal (1783)	Musset né	Dumas fils (1824)...........
....Lamartine (1790)	en 1810	Zola, Daudet (1840) ......
.....Vigny (1797)		Heredia, Mallarmé (1842) .
......Balzac (1799)		Verlaine (1844) ....
.......Hugo, Dumas (1802)		Huysmans (1848) ......
........Mérimée (1803)		Maupassant (1850) ....
.........Sainte-Beuve (1804)		Rimbaud (1854) .....

L'âge du succès

Musset (*Contes d'Espagne et d'Italie*) : vingt ans.
Hugo (*Hernani*), Racine (*Andromaque*) : vingt-huit ans.
Lamartine (*Premières Méditations*) : trente ans.
Baudelaire (*Fleurs du mal*) : trente-six ans.

◀ Musset
en costume de page.

Litho de Devéria

George Sand.
Dessin de Musset
▼

« Fantasio » dut donc être composé... pendant l'époque heureuse... des amours célèbres » (p. 27)

MUSSET : L'HOMME

1. Physique

Musset était beau : on connaît la gravure de Devéria qui le représente en page du XVIe siècle, et le pastel de Charles Landelle. Victor Hugo décrit ses « cheveux d'un blond de lin [...] ses lèvres vermillonnées et béantes ». Jusqu'à la période finale de sa vie, celle des excès et des maladies, Musset garda l'apparence de l'adolescence.

2. Caractère

Tout en contrastes : il rechercha l'amour idéal et se plongea dans la débauche; il aima le plaisir en épicurien, mais cultiva savamment la douleur; il fut sceptique et enthousiaste; les jours de travail furent les « seuls jours » où il ait « vécu », mais sa sympathie allait aux aimables paresseux de ses pièces.
Les traits essentiels de sa personnalité, il les a prêtés à quelques-uns de ses héros :

MARDOCHE qui...

> ... avait la pucelle
> D'Orléans pour aïeule en ligne maternelle.
> ... à peine
> Le spleen le prenait-il quatre fois par semaine.
>
> *Mardoche*, II.

RAFAËL, dont le corps était « plus délicat qu'un menton de dévote ».

HASSAN :

> Il était indolent et très opiniâtre [...]
> Il était très joyeux, et pourtant très maussade,
> Détestable voisin, — excellent camarade,
> Extrêmement futile, — et pourtant très posé,
> Indignement naïf, — et pourtant très blasé,
> Horriblement sincère, — et pourtant très rusé.
>
> *Namouna*, XI et XIII.

ROLLA :

> ... Jamais dans les tavernes,
> Sous les rayons tremblants des blafardes lanternes,
> Plus indocile enfant ne s'était accoudé
> Sur une table chaude ou sur un coup de dé.
>
> *Rolla*, II.

A tous ces traits de caractère, il faut ajouter l'esprit, que Musset exerça autant contre les autres que contre lui-même.

MUSSET : SES PRINCIPES

Malgré sa désinvolture apparente et ses affirmations destinées le plus souvent à offusquer romantiques ou classiques, Musset a profondément et sérieusement médité sur l'art.

Artiste. Dès les *Vœux stériles* (1830), il célèbre, comme dans *Lorenzaccio*, la Renaissance italienne où florissaient toutes les formes de l'art :

Alors c'étaient des temps bienheureux pour les arts!

Dans la « Dédicace à M. Alfred T. » de *la Coupe et les Lèvres* (1832), il exprime ses préoccupations essentielles :

Vous me demanderez si j'aime la nature.
Oui; j'aime fort aussi les arts et la peinture [...]
Je ne me suis pas fait écrivain politique,
N'étant pas amoureux de la place publique [...]
Un artiste est un homme; il écrit pour des hommes,
Pour prêtresse du temple, il a la liberté;
Pour trépied, l'univers; pour éléments, la vie;
Pour encens, la douleur, l'amour et l'harmonie;
Pour victime, son cœur; pour dieu, la vérité.

Dans cet « art poétique », on relève déjà l'idée que **la souffrance est génératrice de beauté et d'art**. On la retrouvera dans toute l'œuvre de Musset et particulièrement dans les *Nuits* (*Nuit de mai*, *Nuit d'octobre*).

Homme de théâtre, Musset n'a laissé aucun manifeste et l'on ne trouve pas, chez lui, l'équivalent de la préface de *Cromwell*. Cependant, çà et là, il a exprimé, toujours avec désinvolture, des admirations qui peuvent nous guider dans la recherche de ses conceptions relatives au théâtre. Ces jugements sont d'autant plus désintéressés que, depuis l'échec de *la Nuit vénitienne* (1830), Musset ne croyait plus écrire pour être joué.

Dans *Une soirée perdue* (1840), un vibrant éloge de Molière s'accompagne d'une ironie plaisante à l'égard du drame romantique :

[Il] ignora le bel art de chatouiller l'esprit
Et de servir à point un dénouement bien cuit.
Grâce à Dieu, nos auteurs ont changé de méthode,
Et nous aimons bien mieux quelque drame à la mode
Où l'intrigue, enlacée et roulée en feston,
Tourne comme un rébus autour d'un mirliton.

Il admire donc une **simplicité toute classique,** ce qui ne signifie pas pour autant qu'il réclame des œuvres théâtrales imitant celles de Racine, qui les avait lui-même imitées des Anciens :

> Ne vous semble-t-il pas que le siècle de Périclès, celui d'Auguste, celui de Louis XIV, se passent de main en main une belle statue, froide et majestueuse, trouvée dans les ruines du Parthénon ? Momie indestructible, Racine et Alfieri l'ont embaumée de puissants aromates.
>
> *Un Mot sur l'art moderne,* 1er septembre 1833.

Il préfère « les hommes [...] comme Shakespeare [... qui] tirent des entrailles de la terre où ils marchent, de la terre boueuse attachée à leurs sandales, une argile vivante et saignante, qu'ils pétrissent de leurs larges mains ». (*Ibid.*)

Cette admiration pour Shakespeare homme de théâtre et surtout créateur de vie, génie qui dépasse les écoles, s'exprime à plusieurs reprises dans l'œuvre de Musset :

> Racine rencontrant Shakespeare sur ma table
> S'endort près de Boileau qui leur a pardonné.
>
> *Les Secrètes Pensées de Rafaël.*

> Aimerais-tu [...]
> Michel-Ange et les arts, Shakespeare et la nature,
> Si tu n'y retrouvais quelques anciens sanglots ?
>
> *Nuit d'octobre.*

Poète. Dans son *Discours de réception à l'Académie francaise* (1852), Musset loue « ces sortes de scènes où la pensée de l'auteur quitte pour ainsi dire son sujet, sûre de le retrouver tout à l'heure, et se jette hors de l'intrigue et de la pièce même dans l'élément purement humain [...] : c'est la part de la poésie ».

MUSSET : SON ŒUVRE

Il est difficile d'établir un classement rigoureux des poèmes de Musset, certains appartenant à des recueils différents suivant les éditions. Compte tenu de cette remarque préliminaire, nous relevons :

5 Recueils de vers :

1829, *Contes d'Espagne et d'Italie.*
1833, *Spectacle dans un fauteuil.*
1840, *Poésies complètes.*
1850, *Poésies nouvelles.*
1860, *Œuvres posthumes.*

15 pièces de théâtre :

1830, *la Nuit Vénitienne.*
1833, *André del Sarto; les Caprices de Marianne.*
1834, *Fantasio; On ne badine pas avec l'amour; Lorenzaccio.*
1835, *la Quenouille de Barberine; le Chandelier.*
1836, *Il ne faut jurer de rien.*
1837, *Un Caprice.*
1845, *Il faut qu'une porte soit ouverte ou fermée.*
1849, *On ne saurait penser à tout.*
1850, *Carmosine.*
1851, *Bettine.*
1855, *l'Ane et le Ruisseau.*

4 Romans :

1828, *l'Anglais mangeur d'opium* (traduit et adapté de Thomas de Quincey).
1833 (probablement), *le Roman par lettres* (inachevé).
1836, *la Confession d'un enfant du siècle.*
1839, *le Poète déchu* (inachevé).

6 Nouvelles :

1837, *les Deux Maîtresses; Emmeline.*
1838, *le Fils du Titien; Frédéric et Bernerette; Margot.*
1839, *Croisilles.*

6 Contes :

1842, *Histoire d'un merle blanc.*
1844, *Pierre et Camille; le Secret de Javotte; les frères Van Buck.*
1845, *Mimi Pinson.*
1854, *la Mouche.*

Des mélanges de littérature et de critique, comme les *Lettres de Dupuis et Cotonet* (1837), des discours, des articles sur la littérature, la peinture et la musique.

Bibliographie

Fantasio n'ayant pas été porté à la scène par Alfred de Musset lui-même, le texte comporte peu de variantes. Nous reproduisons le texte de 1853 que suivent la plupart des éditions.

Paul de Musset, *Biographie d'Alfred de Musset*, 1877.
Léon Lafoscade, *le Théâtre d'Alfred de Musset*, 1901, rééd. 1968.
Jean Giraud, « Alfred de Musset et trois romantiques allemands : Hoffmann, Jean-Paul, Henri Heine »; I, « Alfred de Musset et Hoffmann » (*Revue d'histoire littéraire de la France*, 1911).
Gustave Lanson, « Mariage de princesse. Vérité et fantaisie dans une comédie de Musset » (*Revue de Paris*, 1er mars 1913).
Pierre Gastinel, *le Romantisme d'Alfred de Musset*, 1933.
Pierre Gastinel, *« Comédies et Proverbes » de Musset*, tome I, 1934.
Maurice Allem, *Théâtre complet d'Alfred de Musset*, Pléiade, 1934.
Maurice Allem, *Œuvres complètes en prose de Musset*, Pléiade, 1938.
Maurice Allem, *Musset*, 1940.
Philippe Van Tieghem, *Musset, l'homme et l'œuvre*, 1944, rééd. 1969.
Jean Pommier, *Variétés sur Alfred de Musset et son théâtre*, 1945, rééd. 1966.
Auguste Brun, *Deux Proses de théâtre*, 1954.
Henri Lefebvre, *Alfred de Musset dramaturge*, 1955, rééd. 1970.
Philippe Van Tieghem, « l'Évolution du théâtre de Musset des débuts à *Lorenzaccio* » (*Revue d'histoire du théâtre*, 1957).
Robert Mauzi, « Les fantôches d'A. de Musset » (*R.H.L.F*. avril-juin 1966).
Jean Starobinski, « Note sur le bouffon romantique », *Cahiers du Sud*, avril-juin 1966.
Gilbert Ganne, *A. de Musset, sa jeunesse et la nôtre*, 1970.
Bernard Masson, « Théâtre et langage, essai sur le dialogue dans les comédies de Musset » *Langues et style n° 7*, 1977.
EUROPE, numéro spécial, nov.-déc. 1977, en particulier : Pierre Creignon « Petite suite sur "Fantasio", Alain Rais "Fantasio 1975" ».

1680 COMEDIE-FRANÇAISE. 186

Les bureaux ouvriront à 7 heures 1/4. | Aujourd'hui SAMEDI 18 Août 1866. | On commencera à 7 heures

LES COMÉDIENS ORDINAIRES DE L'EMPEREUR DONNERONT :

PREMIÈRE REPRÉSENTATION

FANTASIO

Comédie en TROIS actes, en prose, d'*Alfred de Musset.*

MM.	DELAUNAY,	Fantasio.	Mlles FAVART,	Elsbeth.
	COQUELIN,	Le Prince.	JOUASSAIN,	La Gouvernante

Mrs CHÉRY le Roi, GARRAUD Marinoni, SÉVESTE Hartmann, SÉNÉCHAL Spa

PRUDHON Facio, MONTET un Pénitent MASSET Rutten.

Mlles LLOYD premier Page, BARRETTA deuxième Page.

Bibl. de l'A

Affiche annonçant la première représentation : 18 août 1866

Maquettes d'Albert pour les costumes (1866) :
un cabaretier, un bourgeois

Bibl. de la Comédie-Fra

LA COMÉDIE DE « FANTASIO »

1. Genèse de l'œuvre

Fantasio parut pour la première fois dans la *Revue des Deux Mondes* du 1er janvier 1834. La comédie figura, la même année, dans la deuxième livraison d'*Un spectacle dans un fauteuil*, au tome II, avec *André del Sarto*, *On ne badine pas avec l'amour* et *la Nuit vénitienne*. Six ans plus tard, elle entra dans la première édition des *Comédies et Proverbes*.
A quand remonte la composition ? C'est peut-être en mars 1833, plus probablement en juin, que Musset avait rencontré **George Sand**, au fameux dîner organisé par François Buloz, directeur de la *Revue des Deux Mondes*, pour ses collaborateurs. Musset déclara son amour en juillet, et la fameuse liaison commença le 29 du même mois, pendant les fêtes qui marquèrent l'anniversaire de la révolution de 1830.
Fantasio dut donc être composé en cet été ou cet automne 1833, pendant l'époque heureuse (malgré quelques orages) des amours célèbres.
Musset avait pris ses habitudes dans l'appartement que George Sand occupait quai Malaquais, et il s'était joint au groupe joyeux qui fréquentait chez l'auteur de *Lélia*. Paul de Musset en décrit ainsi l'atmosphère (*Biographie d'Alfred de Musset*, p. 115) :

> La conversation ne s'y endormait pas. Il y régnait une gaieté folle. Jamais je ne vis de compagnie si heureuse, si peu occupée du reste du monde. On passait le temps à causer, à dessiner, à faire de la musique. On se déguisait à certains jours, pour le plaisir de jouer des rôles. On inventait toutes sortes de divertissements en petit comité, non pas par crainte de l'ennui, mais au contraire, par excès de contentement.

Un jour, pour recevoir un des rédacteurs de la *Revue* — le philosophe Lerminier —, on fit venir le Pierrot du Théâtre des Funambules, le mime Debureau, déguisé en diplomate anglais. La conversation porta sur l'équilibre européen, que le faux diplomate symbolisa par une assiette tournant sur la pointe d'un couteau. Déguisé en servante cauchoise, Musset finit par verser une carafe sur la tête du philosophe ; après quoi « il prit sa place à table, sans quitter ses habits de Cauchoise, et mangea sa part du dîner qu'il avait si mal servi » (*ibid.*, p. 118). *Fantasio* ne garde-t-il pas quelque chose de cette atmosphère de déguisements et de farces ?
Cependant, quai Malaquais, il y avait place pour le travail. Comme avec son amant précédent, Jules Sandeau, George Sand écrivait, lisait aux côtés de Musset. Ils échangeaient leurs impressions de lecture, se passaient leurs manuscrits : *Lorenzaccio* doit son inspiration à une *scène historique* de George Sand, *Une conspiration en 1537* ; et, dans ses *Variétés sur Alfred de Musset et son théâtre*, M. Jean Pommier a rapproché *Fantasio* des œuvres

que George Sand composait alors : un roman, *le Secrétaire intime*, une pièce, *Aldo le Rimeur.* S'il n'est pas toujours facile de savoir lequel des deux écrivains influença l'autre, et bien que leurs tempéraments fussent très dissemblables, il y a entre ces œuvres des rapports indéniables, car Sand et Musset venaient de découvrir avec enthousiasme l'écrivain allemand HOFFMANN[1] dont les traductions de Loëve-Veimars[2], parues dans la *Revue de Paris* en 1829, leur avaient révélé les *Contes fantastiques.* « Vers les années 1830, notre littérature offre des produits d'une saveur nouvelle par la greffe de la fantaisie hoffmannesque sur l'esprit rêveur et gamin d'un Musset ou d'une George Sand » (Jean Pommier, *op. cit.*, p. 57).

On trouve, dans **« le Secrétaire intime »** (publié en avril 1834), un Spark aussi calme buveur de bière que l'ami de Fantasio. S'il joue un autre rôle, puisqu'il est déguisé et a épousé secrètement la princesse Quintilia, il a le même caractère tranquille, et il exerce le même genre d'influence apaisante sur le personnage principal, l'inquiet Saint-Julien, dont le nom rappelle celui de Saint-Jean, le bouffon d'Elsbeth.

Le Secrétaire intime se déroule dans une principauté esclavonne de fantaisie, dont la princesse Quintilia est souveraine. Elle a un beau page, Galeotto, un secrétaire qui l'adore, mais qu'elle traite seulement en ami, Saint-Julien. Elle a renvoyé l'aide de camp Lucioli ; pour des raisons politiques, elle est courtisée par les princes voisins aux intentions menaçantes, le duc de Gürck et le comte de Steinach. Il y a là, en somme, un cadre politique analogue à celui de *Fantasio.*

« Aldo le Rimeur » (pièce publiée dans la *Revue des Deux Mondes* du 1er septembre 1833) est présentée par George Sand comme une œuvre inachevée, d'influence hoffmannesque : l'amour, puis la science doivent arracher « l'âme curieuse et ondoyante du poète au dégoût de la vie, à la lassitude du cœur, au suicide » (préface, p. 207). Ce poète, Aldo, est aimé de la reine Agandecca, il converse, se promène longuement avec elle. Celle-ci a comme conseiller son bouffon, le nain John Bucentor Tickle, hostile au poète.

Sans doute ne faut-il pas exagérer les ressemblances entre le thème, les personnages de *Fantasio* et le thème, les personnages des deux œuvres de George Sand : n'oublions pas le rôle de l'imagination et de l'esprit créateur, dont le rythme est bien différent chez les deux écrivains. Il reste que tous deux, en cette année 1833, sous l'influence d'Hoffmann, ont donné à leurs rêves le cadre d'une petite Cour où une princesse et une reine conversent avec un secrétaire, un poète ou un bouffon. On

1. 1776-1822. — 2. Littérateur français, 1801-1854.

observera que, chez Musset, c'est Fantasio qui mène la conversation, alors que c'est la princesse ou la reine chez George Sand. On notera encore que, chez la romancière, l'amour tient une grande place — tous les personnages sont amoureux de la princesse —, tandis qu'apparemment il tient peu de place dans la pièce de Musset. Aux époques où Musset connaît les joies de l'amour, celui-ci tient moins de place dans son œuvre, observe curieusement M. Pommier; *Lorenzaccio*, qui pour l'essentiel a été composé durant le temps d'une grande passion, est un drame historique et politique, non un drame d'amour.
Ainsi le milieu où son amitié pour George Sand, puis sa liaison avaient fait pénétrer Musset, leurs lectures et leur travail en commun ont agi d'une façon diffuse, reconnaissable à de légers signes dans la composition de *Fantasio*. Cette comédie reflète, comme peut-être les premières scènes d'*On ne badine pas avec l'amour* — si elles ont été écrites à cette époque —, un moment heureux de la vie de Musset, celui qui précède le drame de Venise.

2. Les sources littéraires

Hoffmann. Musset put lire Hoffmann dans les traductions données par Loëve-Veimars dans la *Revue de Paris* en 1829, et chez l'éditeur Renduel en 1830 (il s'en inspira dans *Portia*, *Namouna*, *le Saule*). Mais ce fut dans la *Biographie de maître Jean Kreisler*, qui fit partie de la troisième livraison des *Contes fantastiques* publiés chez Renduel (mai 1830), qu'il trouva une histoire ainsi résumée par M. Jean Giraud dans son étude sur « Alfred de Musset et trois romantiques allemands : Hoffmann, Jean-Paul, Henri Heine » (*Revue d'histoire littéraire de la France*, 1911, p. 303) :

> La princesse Hedwige, dans le parc de son père le duc Irénéus, fait part des inquiétudes de son âme à sa confidente Julie. Rappelons que cette jeune princesse, nerveuse et impressionnable, va bientôt devenir la fiancée du prince Hector, qui vient de Naples et pour lequel elle éprouve une violente répulsion. Elle a d'ailleurs un faible pour le fantasque et bon Jean Kreisler, maître de chapelle de la cour.

On reconnaît là le thème de *Fantasio*. D'ailleurs, Hedwige dépeint Kreisler en des termes qui conviendraient au personnage de Musset : « Ce bon Kreisler, dont l'humour ironique qui blesse quelquefois ne vient que du cœur le plus pur et le plus vrai » (*ibid.*, p. 326). Kreisler joue le même rôle que Fantasio, mais avec des moyens différents : il fait fuir le prince Hector (qui veut se faire aimer incognito de la princesse) en lui montrant une petite boîte portant un portrait mystérieux. M. J. Giraud signale d'autres différences : du maître de chapelle Musset a fait un étudiant allemand, et, donnant au Roi de Bavière un rôle sympathique, il a reporté le ridicule d'Irénéus sur le Prince de Mantoue.

Musset avait dû lire aussi, non sans plaisir, un article du *Globe* (26 décembre 1829) affirmant que, chez Hoffmann, amateur de vin et de punch, « c'est au cabaret d'ordinaire que l'enfantement avait lieu [...] les figures bizarres qu'il venait de crayonner sur un morceau de papier ou de barbouiller sur la table, il les voyait, il les entendait ». Il y a cependant, entre l'écrivain allemand et l'écrivain français, une différence essentielle : Musset a négligé le fantastique d'Hoffmann pour ne conserver que la fantaisie. Il a retenu l'humour, l'allure capricieuse du récit, mais il a rejeté l'obscurité pour mettre en relief le bon sens qui se cache sous le paradoxe.

Jean-Paul. L'influence de Jean-Paul[1] ne peut être séparée de celle d'Hoffmann, mais elle se manifeste moins dans la conception d'ensemble que par des emprunts précis. Musset a consacré deux articles admiratifs à Jean-Paul, parmi ceux qui parurent dans *le Temps*, en 1831, sous le titre de *Revue fantastique*, et qui furent recueillis dans les *Mélanges de littérature et de critique.* Il les envie, lui et Hoffmann, de pouvoir être originaux en Allemagne (*Œuvres complètes en prose*, éd. Allem, p. 891) :

> La belle nation où l'on se coudoie! où l'on se grise sans être suivi des polissons! où l'on chante dans les rues! Affublez-vous d'une épée, d'une perruque, on ne vous dira rien. C'est dans cette foule préoccupée qu'Hoffmann, enluminé de punch et ses culottes barbouillées d'encre comme celles de Napoléon, rencontrait trois de ses amis et tenait une conversation d'une heure à chacun d'eux sans que pas un s'aperçût qu'il avait oublié son chapeau au cabaret.

Musset justifie plus loin (*ibid.*, p. 893) la liberté d'allure des deux poètes :

> Qui est plus grotesque, trivial, cynique qu'Hoffmann et Jean-Paul? Mais qui porte plus qu'eux, dans le fond de leur âme, l'exquis sentiment du beau, du noble, de l'idéal? Cependant ils n'hésitent pas à appeler un chat un chat, et ne croient pas pour cela déroger.

Voilà qui explique la franchise et les disparates de *Fantasio.* Dans un second article, Musset commente une pensée bizarre de Jean-Paul : « La providence a donné aux Français l'empire de la terre, aux Anglais celui de la mer ; aux Allemands celui de l'air. » Et il ajoute (*ibid.*, p. 894) :

> Kant, Gœthe sur les montagnes de Werther, Schiller au fond de son cabinet, Hoffmann assis sur la table d'un estaminet, Marguerite accoudée sur la fenêtre gothique et regardant passer les nuages au-dessus des vieilles murailles de la ville [...], tous les génies, toutes les créations de l'Allemagne vivent dans l'élément des rêveurs et des oiseaux du ciel.

1. Johann Paul Friedrich Richter, dit *Jean-Paul*, écrivain allemand, 1763-1825.

Ces textes annoncent le cadre et l'atmosphère de la grande scène du premier acte où Fantasio, déjà gris, prendra sa décision ; nous retrouverons, chez lui et la plupart des personnages, le goût de la conversation décousue, du rêve ou des projets chimériques : le triomphe de Fantasio ne sera-t-il pas une perruque pêchée à l'hameçon et *enlevée en l'air* (II, 5, l. 930) ?
Mais l'imitation de Jean-Paul s'aperçoit surtout, selon M. Lafoscade (*le Théâtre d'Alfred de Musset*, p. 116-117), dans les allusions de Musset « aux choses les plus ordinaires de la vie, ustensiles de cuisine, jouets, instruments de la science, produits de l'industrie, matière en apparence peu susceptible de poésie ». Il lui a emprunté beaucoup de comparaisons déconcertantes ; cependant, si « Musset garde ce que l'expression présente d'amusant et d'inattendu », « il y a chez l'auteur français plus d'élégance et moins de brusquerie » (p. 117).

Shakespeare. Shakespeare a souvent mis en scène des bouffons, par exemple dans *le Soir des rois* (pièce jouée parfois sous le titre de *la Nuit des rois*) ou dans *Comme il vous plaira.* « Chez tous les bouffons que Shakespeare met en scène, ce ne sont que jeux de mots, paradoxes, raisonnements absurdes, inventions baroques et fantastiques [...]. Cependant, sous le manteau de la folie, ces bouffons cachent souvent un bon sens réel. Ils voient les ridicules des hommes et des choses, et le rôle qu'ils jouent leur permet d'en parler à leur aise » (Lafoscade, *op. cit.*, p. 89).
Tel est bien Fantasio. Mais M. Lafoscade observe (p. 90) que, si sous « sa casaque bariolée [...] Fantasio joue le rôle de bouffon avec toutes les nuances qu'il comportait chez Shakespeare, il apporte dans cette attitude extravagante et malicieuse une finesse, un tact et une sensibilité dont les amuseurs de Shakespeare ne paraissent pas susceptibles ».
Pour Fantasio, un calembour peut être l'occasion d'émettre une idée philosophique (acte II, l. 610-615), et sa folie aura été plus sage que la prudence des raisonnables.

Marivaux. Musset connaissait bien la littérature dramatique du XVIIIe siècle, et l'atmosphère de *Fantasio* rappelle en particulier Marivaux. Sans doute ne trouve-t-on pas dans cette comédie le double déguisement du jeune homme et de la jeune fille, qui fonde l'intrigue dans *le Jeu de l'Amour et du Hasard.* Mais on y voit deux déguisements aux effets opposés : l'un (acte I, l. 350) permet à Fantasio une spirituelle conversation avec une princesse, l'autre (acte I, l. 412) couvre de ridicule le Prince de Mantoue et fournit à Musset l'occasion de traiter le thème du déguisement sous forme de parodie.
Le rôle du hasard est souvent évoqué par Fantasio (voir p. 74, l. 846, et p. 75). Enfin, bien qu'il ne soit guère question d'amour

entre Elsbeth et lui, la conversation avec ses sautes d'humeur, so
esprit, rappelle le marivaudage. *Fantasio* pourrait constituer le
deux premiers actes d'une comédie inachevée de Marivaux, où l
déclaration d'amour n'aurait été prévue que pour un troisièm
acte non rédigé. L'influence se sent aussi dans le style, comme l'
vu M. Lafoscade (*op. cit.*, p. 190) : « Fantasio et Octave (de
Caprices) ont une langue plus colorée et plus aiguisée que M. d
Chavigny ; les antithèses et les métaphores se pressent sur leur
lèvres, mais elles ne nuisent pas à la délicatesse aimable de l'ex
pression, et souvent la fantaisie shakespearienne de leurs propo
s'atténue et se fond dans l'élégance subtile de Marivaux. »

Le « Roman par lettres ». Sans doute au début de 1833
Musset avait commencé le *Roman par lettres* qu'il abandonna vit
et qui fut publié seulement en 1896. (On peut le lire dans le
Œuvres complètes en prose, éd. Allem, p. 305.) Le héros, Prévan
maître de musique parisien chantant dans un petit duch
d'Allemagne, tombe amoureux de la princesse Béatrice, un
jeune princesse « pâle et blonde, romanesque, musicienne
capricieuse » (p. 307). Il trouve chez elle un jeune officier qu
s'appelle le baron de Spark ; c'est un des aides de camp du Duc
Comme Fantasio, Prévan ne veut d'aucune carrière. Il signal
l'arrivée d' « un grand oison de Russe qui demande la princess
en mariage » (p. 318). Il tente d'empêcher cette union, mais,
trop entreprenant, il se fait chasser de la Cour. Musset a utilis
des fragments de ce texte dans plusieurs de ses pièces, notam-
ment dans *Fantasio* (nous les signalerons en note).
Ainsi Musset, qui avait beaucoup lu, a emprunté à tout le
monde et aussi à lui-même. Mais il y a plus souvent réminis-
cence qu'imitation. Constamment, les souvenirs de lectures
affleurent, et pourtant l'œuvre garde une saveur originale.

3. L'actualité politique

Ce serait une erreur de ne voir dans *Fantasio* qu'une fantaisie
hoffmannesque. Comme l'a montré Gustave Lanson dans un
article de la *Revue de Paris* du 1er mars 1913 (*Mariage de princesse,
vérité et fantaisie dans une comédie de Musset*), l'histoire d'Elsbeth
rappelle un mariage princier récent.
Le 9 août 1832, la princesse Louise, fille de Louis-Philippe, avait
épousé le roi des Belges Léopold, au château de Compiègne.
Nous savons, par le *Journal* et la *Correspondance intime* de
Cuvillier-Fleury, précepteur du duc d'Aumale, et les *Mémoires*
de Mme de Boigne, que la princesse s'était résignée par dévouement filial à un mariage qui ne lui plaisait pas. Sans doute n'y
avait-elle pas été forcée, mais on s'était relayé pour obtenir son
consentement. Le jour du contrat, elle paraissait accablée. Le
roi, qui avait insisté pour qu'on lui laissât son libre arbitre, se

reprochait d'avoir sacrifié sa fille à la politique, mais il cherchait à consolider la paix et l'accord avec l'Angleterre. L'indépendance de la Belgique, l'appel fait par les Belges à la France avaient créé une crise grave, et puisqu'un prince français n'avait pu monter sur ce trône récent, c'était du moins un succès diplomatique que d'y faire accéder une princesse française. Cependant, le roi Léopold, veuf de quarante-deux ans, d'origine germanique, n'était pas populaire, et l'opinion publique lui était hostile.

Sans doute, après avoir été au collège Henri IV le condisciple du duc de Chartres, futur duc d'Orléans, Musset ne fut-il en relations suivies avec les Tuileries qu'en 1837 ; mais l'affaire du mariage n'était pas tout à fait un secret. Un journal d'opposition, comme *la Caricature*, s'était ouvertement moqué du prétendant dans ses numéros du 7 juin, du 5 juillet et du 30 août 1832.

Si l'on doutait du rapprochement, l'expression qu'emploie le roi de Bavière dans *Fantasio* (acte II, l. 631) suffirait à nous convaincre : *Vous êtes ici chez un bourgeois qui en gouverne d'autres.*

Dans les modifications géographiques ou psychologiques que Musset apporta au conte d'Hoffmann — le ridicule duc Irénéus est remplacé par le bon roi de Bavière, tandis que le prétendant stupide vient d'Italie — on peut voir la volonté de brouiller les pistes par une discrétion bien compréhensible. Cependant le dénouement, où Fantasio prend vite son parti de la menace de guerre, reflète l'esprit nationaliste de la jeunesse libérale rêvant de chausser les bottes des hussards de la République ou de l'Empire pour déchirer les traités de 1815, et méprisant la prudente politique pacifiste de la monarchie bourgeoise.

4. Les représentations ; la version pour la scène de 1866

Contrairement à plusieurs autres pièces de Musset, *Fantasio* ne fut pas porté à la scène du vivant de l'auteur, mais seulement après sa mort par les soins de son frère Paul : la première représentation eut lieu le 18 août 1866 au Théâtre-Français. Des acteurs dont la renommée ne fera que croître (voir la distribution, p. 40) tenaient les principaux rôles. Cependant la pièce n'eut qu'un succès médiocre : trente représentations.

La même année parut la version remaniée par Paul de Musset : *« Fantasio », comédie en trois actes, en prose. Représentée pour la première fois sur le Théâtre-Français le 18 août 1866 par les Comédiens ordinaires de l'Empereur*, Charpentier, Paris. Paul de Musset y déclare : « Je me suis conformé scrupuleusement aux intentions de l'auteur dans les changements que j'ai faits à la pièce originale de *Fantasio*. L'auteur ne les a point exécutés lui-même, parce qu'il ne croyait pas que la représentation de cette comédie, même modifiée, fût possible. » Paul de Musset précise ailleurs (*Comédies et Proverbes*, illustrations de Henri Pille, Lemerre, p. 446) :

> En 1851, lorsqu'il eut fait représenter *les Caprices de Marianne*, l'auteur eu quelque envie d'arranger aussi *Fantasio* pour la scène. Il y voulait introduire un élément nouveau, en donnant à entendre au spectateur que l'esprit e la gaieté de Fantasio produisaient une douce impression sur le cœur de la princesse. Dans cette intention, il pensait à transporter la jolie tirade sur le tableau du *coup de l'étrier* dans une des conversations entre Fantasio e Elsbeth. La scène de la prison devenait un troisième acte, où la princesse mettait un peu d'insistance et de coquetterie à exiger de Fantasio la promesse qu'il reviendrait à la cour. On voyait ensuite arriver Spark, Hartman et Facio, résolus à prendre part, comme volontaires, à la guerre contre le prince de Mantoue. Fantasio refusait de les accompagner, et, après leur départ, il reprenait sa perruque et ses insignes de bouffon, pour aller se cacher dans le parterre où il avait rencontré la princesse. Il est regrettable que l'auteur n'ait point donné suite à ce projet.

La plupart des éditeurs qui publient les variantes pour la scène composées par l'auteur lui-même rejettent celles qu'a introduites son frère (on les trouvera dans *Comédies et Proverbes*, texte établi et présenté par Pierre Gastinel, tome I, 1934). Elles comprennent quelques arrangements destinés à faciliter la mise en scène en unifiant les décors, quelques remaniements et additions. Le monologue de Fantasio (II, 3) a été déplacé. La tirade du coup de l'étrier, qui a été transportée à la fin de la seconde entrevue (II, 5), souligne le thème de l'aumône du pauvre : Fantasio devient en effet le bienfaiteur de la princesse. Elsbeth y déclame les vers d'un poète aimé qui viennent chanter à sa mémoire, un fragment du *Saule* (VI) d'Alfred de Musset, une dizaine de vers remaniés :

Amour, toi qui nous viens d'une source infinie...

Enfin, les scènes ont reçu une numérotation plus détaillée : ainsi les longs tableaux du premier et du deuxième actes ont été subdivisés à l'entrée de tout nouveau personnage ; et la scène de la prison (II, 7) constitue un troisième acte à deux scènes.

D'une manière générale, Paul de Musset a supprimé les expressions qui pouvaient paraître triviales, trop familières ou même simplement surprenantes. Il est curieux de le voir expliciter ce qui est sous-entendu, préciser parfois lourdement ce qui est allusif, éclairer ce qu'il faudrait laisser découvrir au spectateur. Dans les dernières répliques, Elsbeth invite expressément Fantasio à revenir auprès d'elle.

Nous citons quelques passages de ces variantes quand ils nous paraissent éclairer le texte ou quand ils permettent de comparer le goût d'Alfred (qui est le plus souvent le nôtre) à l'édulcoration de Paul. Il nous a semblé commode d'indiquer entre crochets

[ ] les divisions de cette édition pour faciliter le découpage de l'explication.
Mis en musique par Offenbach (l'auteur de l'opéra-comique célèbre, *les Contes d'Hoffmann*), *Fantasio* fut joué à l'Opéra-Comique le 18 janvier 1872.
La comédie fut reprise à l'Odéon le 25 février 1892, dans une charmante mise en scène dont la description de Jules Lemaître nous donne une idée (*Impressions de théâtre*, t. VII, p. 142) :

> Un salon XVIIIe siècle aux légères boiseries blanches ; un cabinet tendu de vieilles tapisseries allemandes ; un jardin de principicule, dessiné dans le goût du Roi-Soleil, réduction du parc de Versailles qui, démontée, tiendrait dans une boîte à joujoux de Nuremberg; une petite place biscornue devant un cabaret, au haut d'un escalier, au pied d'une terrasse couronnée d'une charmille bleuâtre qu'on dirait découpée à l'emporte-pièce ; au premier plan, une admirable encoignure décorée d'une enseigne en fer forgé dont les arabesques compliquées se détachent sur le ciel du couchant; au dernier plan les pignons aigus de vieilles maisons ombragées, piquées, à chacune de leurs petites fenêtres, des lumières jaunes d'une illumination familiale... L'orchestre Lamoureux nous jouant des gavottes, des menuets...

Le rôle de Fantasio était tenu en travesti par la déjà célèbre Mlle Réjane. Cependant, si les acteurs furent trouvés excellents, le public comprit mal Musset : « Tout l'esprit de la comédienne n'a pu donner vie à ce fantôme de personnage entrevu dans un rêve de Musset ».
En mars 1911, la comédie eut au contraire un vif succès au Théâtre des Arts, auquel son directeur, M. Jacques Rouché, donnait une nouvelle vie en mettant à la scène des textes rarement joués. *Fantasio* accompagnait une petite comédie de Léon Frapié, *le Dépensier*. L'*Illustration* du 11 mars 1911 vanta « la fantaisie spirituellement lyrique de Musset ».
Fantasio fut repris à la Comédie-Française, dans une mise en scène de Pierre Fresnay, le 21 août 1925. La distribution était ainsi assurée : Pierre Fresnay (*Fantasio*) ; Fernand Ledoux (*Spark*) ; Pierre Bertin (*le Prince de Mantoue*) ; Marie Bell (*Elsbeth*).
En 1934, Pierre Bertin prit le rôle de Fantasio. Le 11 juillet 1941, il remit *Fantasio* à la scène et joua le rôle du Prince de Mantoue. Julien Bertheau jouait Fantasio. En 1954, Julien Bertheau reprit la pièce; il assurait à la fois une nouvelle mise en scène et, à nouveau, le rôle de Fantasio.
Fantasio a été joué pour la dernière fois à la Comédie-Française en 1965.

Maquettes d'Albert (1866)

Costume de Delaunay
(Fantasio)
pour le premier acte

Elsbeth 1er costume (Fantasio)

Costume de Mlle Fava
(Elsbeth)
pour le premier acte

SCHÉMA DE LA COMÉDIE

ACTE I, SC. I	Le Roi de Bavière annonce à ses courtisans l'arrivée du fiancé officiel de sa fille, le Prince de Mantoue. Il s'inquiète des sentiments de sa fille et ne connaît pas le Prince.	**Exposition** : Le mariage prévu aura-t-il lieu ?
SC. 2	Dans une rue de la ville en fête, des jeunes gens boivent.	
[3]	Un étranger les interroge sur la Princesse Elsbeth.	
[4]	Fantasio arrive, mais refuse de se joindre à ses amis.	
[5]	Resté seul avec Spark, il exprime son dégoût de tout. Chassé de chez lui par la peur des créanciers, il refuse les suggestions de Spark ; mais quand passe l'enterrement de Saint-Jean, l'ancien bouffon du Roi, Fantasio décide de prendre sa place.	**Qui est Fantasio ?** Un homme qui s'ennuie. **Premier déguisement**
[6]	Il entre chez le tailleur qui lui fera un habit de bouffon.	
SC. 3	Dans une auberge, sur la route de Munich, le Prince de Mantoue décide de se présenter à la cour *incognito*. Il prend l'habit de son aide de camp, Marinoni. Celui-ci tiendra le rôle du Prince.	**Second déguisement**
ACTE II, SC. I	Dans le jardin du palais, Elsbeth explique à sa gouvernante qu'elle est désolée d'épouser un prince *horrible et idiot* (l. 447). Mais elle le fait pour éviter la guerre. Elle regrette son cher bouffon qui la comprenait si bien.	**Qui est Elsbeth ?** Une princesse malheureuse.

[2]	Elle aperçoit dans les bleuets Fantasio déguisé. Il la gronde d'épouser un homme qu'elle n'a jamais vu.	**Premier entretien entre Elsbeth et Fantasio**
[3]	Elsbeth aperçoit le Prince (Marinoni) qui vient vers elle, avec le Roi et son aide de camp (le vrai Prince).	
[4]	Elle salue son fiancé puis s'esquive. Le Roi demande au Prince (Marinoni) de blâmer son aide de camp (le vrai Prince) qui a fait une réflexion stupide.	
SC. 2	Sous son déguisement, le Prince fait une déclaration d'amour ridicule à la Princesse qui le rabroue et s'esquive à nouveau.	**Un fantoche**
SC. 3	Seul dans le palais, Fantasio se félicite de son métier de bouffon. Il aperçoit Elsbeth qui pleure en essayant son voile de mariée.	**Pleurs de princesse**
SC. 4	Furieux des affronts subis, le Prince songe à abandonner son déguisement, puis se ravise.	
SC. 5	Le Roi interroge sa fille sur ses sentiments à l'égard du fiancé. Celle-ci se dérobe : elle épousera le Prince.	
[10]	La conversation reprend entre Elsbeth et Fantasio. Ce qu'il appelle convenances, elle le prend pour son devoir. Fantasio avoue qu'il a vu la Princesse pleurer. Il demande à ne pas être chassé du palais.	**Second entretien entre Elsbeth et Fantasio**

[11]	La gouvernante apprend à Elsbeth, restée seule, que le prince qu'on lui a présenté n'est pas le vrai Prince ; celui-ci est déguisé, on ne sait comment.	**Cascade de surprises**
[12]	Un page survient. La perruque du Prince de Mantoue a été enlevée dans les airs sous les yeux de la Cour.	
[13]	C'est le bouffon du Roi qui a fait le coup : il est en prison.	
sc. 6	Furieux, le Prince songe à révéler sa vraie personnalité.	
sc. 7	En prison, Fantasio se réjouit d'avoir joué le rôle de la Providence.	**Le dénouement**
	Elsbeth survient avec la gouvernante ; celle-ci est persuadée que Fantasio est le vrai Prince. Mis au pied du mur, Fantasio découvre son identité véritable et révèle les raisons de sa supercherie.	**Troisième entretien entre Elsbeth et Fantasio**
	On apprend alors que le Prince de Mantoue, furieux, a rompu le mariage et a déclaré la guerre. Elsbeth propose à Fantasio de rester le bouffon du Roi ; elle payera ses dettes. Il refuse. Elsbeth le libère et lui donne la clef du jardin qui lui permettra de revenir, de temps en temps, se cacher dans les bleuets.	**Le mariage n'aura pas lieu**

LES PERSONNAGES

LE ROI DE BAVIÈRE.
LE PRINCE DE MANTOUE.
MARINONI, son aide de camp.
RUTTEN, secrétaire du roi.
FANTASIO,
SPARK,
HARTMAN,
FACIO, } jeunes gens de la ville.
OFFICIERS, PAGES, etc.
ELSBETH, fille du roi de Bavière.
LA GOUVERNANTE D'ELSBETH.

Munich [1].

Lors de la première représentation sur le Théâtre-Français par le comédiens ordinaires de l'Empereur, le 18 août 1866, les principau rôles étaient ainsi distribués :

FANTASIO,	*Delaunay.*
LE PRINCE DE MANTOUE,	*Coquelin aîné.*
SPARK,	*Sénéchal.*
ELSBETH,	*Mme Favart.*
LA GOUVERNANTE,	*Mme Jouassain.*

1. Sur le décor, voir *le Cadre*, p. 43.

FANTASIO
1834

ACTE PREMIER

SCÈNE PREMIÈRE. — *A la Cour.* LE ROI, *entouré de ses courtisans*; RUTTEN.

LE ROI. — Mes amis, je vous ai annoncé, il y a déjà longtemps, les fiançailles de ma chère Elsbeth avec le prince de Mantoue[1]. Je vous annonce aujourd'hui l'arrivée de ce prince; ce soir peut-être, demain au plus tard, il sera dans ce palais. Que ce soit un jour de fête pour tout le monde; que les prisons s'ouvrent, et que le peuple passe la nuit dans les divertissements. Rutten, où est ma fille ? (*Les courtisans se retirent.*)

RUTTEN. — Sire, elle est dans le parc avec sa gouvernante.

LE ROI. — Pourquoi ne l'ai-je pas encore vue aujourd'hui ? Est-elle triste ou gaie de ce mariage qui s'apprête ?

RUTTEN. — Il m'a paru que le visage de la princesse était voilé de quelque mélancolie[2]. Quelle est la jeune fille qui ne rêve pas la veille de ses noces ? La mort de Saint-Jean[3] l'a contrariée.

LE ROI. — Y penses-tu ? la mort de mon bouffon! d'un plaisant[4] de Cour bossu et presque aveugle!

RUTTEN. — La princesse l'aimait.

LE ROI. — Dis-moi, Rutten, tu as vu le prince; quel homme est-ce ? Hélas! je lui donne ce que j'ai de plus précieux au monde, et je ne le connais point.

RUTTEN. — Je suis demeuré fort peu de temps à Mantoue.

LE ROI. — Parle franchement. Par quels yeux puis-je voir la vérité, si ce n'est par les tiens ?

RUTTEN. — En vérité, Sire, je ne saurais rien dire sur le caractère et l'esprit du noble prince.

1. Mantoue, patrie de Virgile, gouvernée par des ducs dont les plus célèbres furent les Gonzague, était une place forte redoutable qui pouvait évoquer, pour l'auteur de *la Confession d'un enfant du siècle* et ses contemporains, les combats de Napoléon Bonaparte contre Wurmser. On comprend qu'un roi recherche l'alliance d'une telle ville. — 2. Le mot a son importance. — 3. Parmi les domestiques de Nohant où George Sand fut élevée, il y avait un *Saint-Jean*. — 4. Celui qui cherche à faire rire. L'emploi de cet adjectif substantivé, courant chez Boileau et Voltaire, a vieilli.

LE ROI. — En est-il ainsi ? Tu hésites, toi, courtisan! De combien d'éloges l'air de cette chambre serait déjà rempli, de combien d'hyperboles [1] et de métaphores [2] flatteuses, si le prince qui sera demain mon gendre t'avait paru digne de ce titre! Me serais-je trompé, mon ami ? aurais-je fait en lui un mauvais choix ? 25

RUTTEN. — Sire, le prince passe pour le meilleur des rois. 30

LE ROI. — La politique est une fine toile d'araignée, dans laquelle se débattent bien des pauvres mouches mutilées; je ne sacrifierai le bonheur de ma fille à aucun intérêt. (*Ils sortent.*)

SCÈNE II. — *Une rue.* SPARK, HARTMAN *et* FACIO, *buvant autour d'une table.*

HARTMAN. — Puisque c'est aujourd'hui le mariage de la princesse, buvons, fumons, et tâchons de faire du tapage. 35

FACIO. — Il serait bon de nous mêler à tout ce peuple qui court les rues, et d'éteindre quelques lampions sur de bonnes têtes de bourgeois.

SPARK. — Allons donc! fumons tranquillement.

HARTMAN. — Je ne ferai rien tranquillement. Dussé-je me faire battant de cloche, et me pendre dans le bourdon de l'église, il faut que je carillonne un jour de fête. Où diable est donc Fantasio ? 40

SPARK. — Attendons-le; ne faisons rien sans lui.

FACIO. — Bah! il nous trouvera toujours. Il est à se griser dans quelque trou de la rue Basse. Holà, ohé! un dernier coup! (*Il lève son verre.*) 45

UN OFFICIER, *entrant.* — Messieurs, je viens vous prier de vouloir bien aller plus loin, si vous ne voulez point être dérangés dans votre gaieté. 50

HARTMAN. — Pourquoi, mon capitaine ?

L'OFFICIER. — La princesse est dans ce moment sur la terrasse que vous voyez, et vous comprenez aisément qu'il n'est pas convenable que vos cris arrivent jusqu'à elle. (*Il sort.*)

FACIO. — Voilà qui est intolérable! 55

SPARK. — Qu'est-ce que cela nous fait de rire ici ou ailleurs ?

HARTMAN. — Qui est-ce qui nous dit qu'ailleurs il nous sera permis de rire ? Vous verrez qu'il sortira un drôle en habit vert de tous les pavés de la ville, pour nous prier d'aller rire dans la lune. (*Entre Marinoni, couvert d'un manteau.*) 60

---

1. Figures de style qui consistent « à exagérer l'expression » (*Dict.* de Hatzfeld). — 2. Figures consistant « à désigner une personne ou une chose, par une expression qui suppose une comparaison sous-entendue » (Hatzfeld). Le roi n'a pas meilleure opinion des courtisans que La Fontaine ou Saint-Simon.

SPARK. — La princesse n'a jamais fait un acte de despotisme de sa vie. Que Dieu la conserve! Si elle ne veut pas qu'on rie, c'est qu'elle est triste, ou qu'elle chante; laissons-la en repos.

- **Le cadre** — On remarquera la sobriété des indications concernant le décor. Dans la version remaniée pour la scène par Paul de Musset, tout le premier acte, qui comprenait sept scènes (voir p. 37), se passait dans le même décor, brossé d'après les indications éparses dans la comédie, mais de telle manière qu'il n'y eût pas besoin de le changer. « Une place publique de Munich. A droite au premier plan, un cabaret ; au second plan, la boutique d'un tailleur. A gauche, une terrasse et une entrée de château. La ville est illuminée. »

① Retrouvez, dans le texte de Musset, les indications qui justifient ce décor. Reportez-vous aussi à la description du décor de 1892 que donne Jules Lemaître (voir p. 35.)

- **L'exposition** est brève, naturelle, l'action et les caractères s'y dessinent déjà. Nous sommes à la Cour d'un roi. Il s'agit du mariage d'une princesse. Le dialogue suggère que ce mariage ne plaît guère à la jeune fille et qu'il pourra y avoir conflit entre l'intérêt du roi et ses sentiments paternels. Une allusion à un événement récent, d'importance apparemment secondaire, est à relever : le bouffon du Roi est mort.

② Appréciez le naturel de cette conversation.

- **Le Roi et sa fille**

③ Citez les expressions qui permettent d'entrevoir le caractère du Roi (bonté, simplicité, lucidité, esprit) et celui de sa fille. Sous quel aspect nous apparaît pour la première fois Elsbeth ? N'est-il pas surprenant ? Pourquoi ?

- **Le ton et le style** — A l'époque classique, la distinction entre la tragédie et la comédie repose en grande partie sur les différences sociales. La première est « la représentation des malheurs des grands personnages » (Suberville, *Théorie de l'art et des genres littéraires*) ; la seconde est « un poème dramatique d'intrigue mettant en scène des personnages de basse condition dans des actions tirées de la vie quotidienne » (René Bray). On sait d'ailleurs que le Romantisme s'opposait vivement à cette distinction des genres.

④ Les définitions précédentes s'appliquent-elles à ce début ? D'après le ton de la scène, avons-nous affaire à une comédie ou à une tragédie ?

⑤ Paul de Musset a remplacé la fin de la première scène par les répliques suivantes :
« LE ROI. — Ah ! pourquoi faut-il que je sois obligé de sacrifier ma fille à des raisons d'État !... Viens, Rutten, rentrons au palais.
TOUS. — Vive le roi ! (*Ils sortent.*) »
Pourquoi ce changement ?

[sc. 3]

FACIO. — Humph ! voilà un manteau rabattu qui flaire quelque nouvelle. Le gobe-mouches[1] a envie de nous aborder [2]. 65

MARINONI, *approchant*. — Je suis étranger, messieurs ; à quelle occasion cette fête ?

SPARK. — La princesse Elsbeth se marie.

MARINONI. — Ah ! ah ! c'est une belle femme, à ce que je présume ?

HARTMAN. — Comme vous êtes un bel homme, vous l'avez dit. 70

MARINONI. — Aimée de son peuple, si j'ose le dire, car il me paraît que tout est illuminé.

HARTMAN. — Tu ne te trompes pas, brave étranger, tous ces lampions allumés que tu vois, comme tu l'as remarqué sagement, ne sont pas autre chose qu'une illumination [3]. 75

MARINONI. — Je voulais demander par là si la princesse est la cause de ces signes de joie.

HARTMAN. — L'unique cause, puissant rhéteur. Nous aurions beau nous marier tous, il n'y aurait aucune espèce de joie dans cette ville ingrate. 80

MARINONI. — Heureuse la princesse qui sait se faire aimer de son peuple !

HARTMAN. — Des lampions allumés ne font pas le bonheur d'un peuple, cher homme primitif. Cela n'empêche pas la susdite princesse d'être fantasque [4] comme une bergeronnette [5]. 85

MARINONI. — En vérité ? vous avez dit fantasque ?

HARTMAN. — Je l'ai dit, cher inconnu, je me suis servi de ce mot. (*Marinoni salue et se retire.*)

[sc. 4]

FACIO. — A qui diantre [6] en veut ce baragouineur [7] d'Italien ? Le voilà qui nous quitte pour aborder un autre groupe. Il sent l'espion d'une lieue. 90

HARTMAN. — Il ne sent rien du tout ; il est bête à faire plaisir.

SPARK. — Voilà Fantasio qui arrive.

---

1. Homme qui croit sans examen toutes les nouvelles débitées. — 2. Cf. George Sand, *le Secrétaire intime* (p. 13) : Saint-Julien « remarqua un grand homme pâle, d'une assez belle figure, qui errait autour des tables et qui semblait enregistrer les paroles des autres. Saint-Julien pensa que c'était un mouchard ». — 3. Bel exemple de tautologie. — 4. Quelle est l'importance de ce mot ? A qui fait-il penser ? — 5. Petit oiseau noir et blanc, du genre hoche-queue, qui se plaît dans le voisinage des troupeaux et au bord des eaux. Musset aime cet oiseau :

> Et la *bergeronnette* en attendant l'aurore
> Aux premiers buissons verts commence à se poser.
>
> (*La Nuit de mai*, v. 45.)

— 6. Mot que l'on emploie par euphémisme pour « diable », comme une exclamation ou un juron. — 7. *Baragouiner :* « Parler un idiome étranger devant quelqu'un qui le trouve barbare parce qu'il ne le comprend pas » (*Dict.* de Hatzfeld).

HARTMAN. — Qu'a-t-il donc? il se dandine comme un conseiller de justice. Ou je me trompe fort, ou quelque lubie mûrit dans sa cervelle. 95

FACIO. — Eh bien, ami, que ferons-nous de cette belle soirée?

FANTASIO, *entrant.* — Tout absolument, hors un roman nouveau [1].

FACIO. — Je disais qu'il faudrait se lancer dans cette canaille, et nous divertir un peu. 100

FANTASIO. — L'important serait d'avoir des nez de carton et des pétards.

HARTMAN. — Prendre la taille aux filles, tirer les bourgeois par la queue [2] et casser les lanternes. Allons, partons, voilà qui est dit.

FANTASIO. — Il était une fois un roi de Perse... 105

HARTMAN. — Viens donc, Fantasio.

FANTASIO. — Je n'en suis pas, je n'en suis pas !

HARTMAN. — Pourquoi?

FANTASIO. — Donnez-moi un verre de ça. (*Il boit.*)

HARTMAN. — Tu as le mois de mai sur les joues. 110

FANTASIO. — C'est vrai; et le mois de janvier dans le cœur. Ma tête est comme une vieille cheminée sans feu : il n'y a que du vent

---

1. « Que les dieux immortels vous assistent et vous préservent des romans nouveaux! » (Deuxième lettre de Dupuis et Cotonet, *Œuvres complètes en prose*, éd. Allem, p. 853). — 2. Touffe de cheveux de derrière que l'on attachait avec un cordon et autour de laquelle on roulait un ruban.

- **La psychologie de la jeunesse** — En quelques traits, au début de la scène 2, Musset dessine la physionomie de la jeunesse turbulente ; ce sont sans doute des étudiants ou des artistes.

  ① Précisez leurs points communs, mais relevez aussi leurs différences de caractère. En quoi Spark se distingue-t-il des autres ? Fantasio leur ressemblera-t-il ?

- **L'actualité** — Après 1830, la jeunesse des Écoles, qui a pris une grande part aux Trois Glorieuses de la Révolution de juillet, se sent frustrée dans ses espérances : aussi est-elle souvent hostile au régime de Louis-Philippe. Frondeuse, elle participe aux manifestations, aux émeutes. Elle se moque des bourgeois. Mais, ancien condisciple du fils de Louis-Philippe — le duc de Chartres, devenu duc d'Orléans et héritier du trône —, Musset n'éprouve aucun sentiment hostile à l'égard de la Monarchie bourgeoise. Son opinion rejoint plutôt celle de Spark et de Fantasio, qui méprisent les vaines querelles politiques.

  ② Comparez ces étudiants à ceux que Marius rencontre au club de l'*A.B.C.* dans *Les Misérables* de Victor Hugo (IIIe partie).

  ③ Cette peinture de la jeunesse vous paraît-elle vraie aujourd'hui encore ?

---

et des cendres. Ouf ! (*Il s'assoit.*) Que cela m'ennuie que tout le monde s'amuse ! Je voudrais que ce grand ciel si lourd fût un immense bonnet de coton [1], pour envelopper jusqu'aux oreilles 115 cette sotte ville et ses sots habitants. Allons, voyons ! dites-moi, de grâce, un calembour usé, quelque chose de bien rebattu.

HARTMAN. — Pourquoi ?

FANTASIO. — Pour que je rie. Je ne ris plus de ce qu'on invente; peut-être que je rirai de ce que je connais. 120

HARTMAN. — Tu me parais un tant soit peu misanthrope et enclin à la mélancolie.

FANTASIO. — Du tout; c'est que je viens de chez ma maîtresse.

FACIO. — Oui ou non, es-tu des nôtres ?

FANTASIO. — Je suis des vôtres, si vous êtes des miens ; restons un peu 125 ici à parler de choses et d'autres, en regardant nos habits neufs.

FACIO. — Non, ma foi. Si tu es las d'être debout, je suis las d'être assis; il faut que je m'évertue en plein air.

FANTASIO. — Je ne saurais m'évertuer [2]. Je vais fumer sous ces marronniers, avec ce brave Spark, qui va me tenir compagnie. 130 N'est-ce pas, Spark ?

SPARK. — Comme tu voudras.

HARTMAN. — En ce cas, adieu. Nous allons voir la fête. (*Hartman et Facio sortent. — Fantasio s'assied avec Spark.*)

[sc. 5]

FANTASIO. — Comme ce soleil couchant est manqué ! La nature est 135 pitoyable ce soir. Regarde-moi un peu cette vallée là-bas, ces quatre ou cinq méchants nuages qui grimpent sur cette montagne. Je faisais des paysages comme celui-là, quand j'avais douze ans, sur la couverture de mes livres de classe.

SPARK. — Quel bon tabac ! quelle bonne bière ! 140

FANTASIO. — Je dois bien t'ennuyer, Spark ?

SPARK. — Non; pourquoi cela ?

FANTASIO. — Toi, tu m'ennuies horriblement. Cela ne te fait rien de voir tous les jours la même figure ? Que diable Hartman et Facio s'en vont-ils faire dans cette fête ? 145

SPARK. — Ce sont des gaillards actifs, et qui ne sauraient rester en place.

FANTASIO. — Quelle admirable chose que les Mille et une Nuits [3] ! O Spark ! mon cher Spark, si tu pouvais me transporter en Chine ! Si je pouvais seulement sortir de ma peau pendant une 150 heure ou deux ! Si je pouvais être ce monsieur qui passe !

---

1. Musset emprunte souvent des comparaisons familières, comme celle-ci, à l'écrivain allemand Jean-Paul (voir *les Sources littéraires*, p. 30). — 2. Employé sans complément, le verbe a vieilli. La construction rappelle la langue du XVIIe siècle; cf. La Fontaine, *Fables* (VI, 10) : « Elle part, elle s'évertue. » — 3. Voir *Un souvenir d'enfance*, p. 49.

SPARK. — Cela me paraît assez difficile.

FANTASIO. — Ce monsieur qui passe est charmant; regarde : quelle belle culotte de soie ! quelles belles fleurs rouges sur son gilet ! Ses breloques [1] de montre battent sur sa panse [2], en opposition avec les basques de son habit, qui voltigent sur ses mollets. Je suis sûr que cet homme-là a dans la tête un millier d'idées qui me sont absolument étrangères; son essence [3] lui est particulière. Hélas ! tout ce que les hommes se disent entre eux se ressemble; les idées qu'ils échangent sont presque toujours les mêmes dans toutes leurs conversations; mais, dans l'intérieur de toutes ces machines isolées, quels replis, quels compartiments secrets ! C'est tout un monde que chacun porte en lui ! un monde ignoré qui naît et qui meurt en silence ! Quelles solitudes que tous ces corps humains !

SPARK. — Bois donc, désœuvré, au lieu de te creuser la tête.

FANTASIO. — Il n'y a qu'une chose qui m'ait amusé depuis trois jours : c'est que mes créanciers ont obtenu un arrêt [4] contre moi, et que, si je mets les pieds dans ma maison, il va arriver quatre estafiers [5] qui me prendront au collet.

SPARK. — Voilà qui est fort gai, en effet. Où coucheras-tu ce soir?

1. Petits bijoux que l'on attache aux chaînes de montre. — 2. Blazius aussi « se ballotte sur son ventre rebondi. » (*On ne badine pas*, I, sc. I, *U.L.B.*, l. 3.) — 3. Terme de philosophie : ce qui constitue le fond de l'être. — 4. *Arrêt* de justice. — 5. En Italie, où le mot a son origine, domestiques armés, portant le manteau et les armes du maître. Ici, policiers.

● **Première apparition d'un grotesque** — Après l'inquiétude manifestée par le Roi de Bavière, l'apparition d'un *espion* ridicule (l. 91) fortifie notre présomption contre le prétendant d'Elsbeth. Tel valet, tel maître.

① D'où vient le comique de la scène 2 ? Comparez le style prétentieux de Marinoni à celui des jeunes gens. Notez le pittoresque de leurs formules et la variété de leurs vocatifs. Pourquoi Marinoni est-il ridicule ?

● **L'arrivée de Fantasio** — Voici le héros principal (l. 93) avec son allure et ses propos déconcertants, avec déjà son goût des déguisements, son esprit changeant, son style à l'emporte-pièce et, sous cette apparence insouciante, une grande tristesse, une immense lassitude.

② Analysez le style imagé de la première tirade (l. 111-117).

● **Le ton de Jean-Paul et d'Hoffmann** — « Qui est plus grotesque, trivial, cynique, qu'Hoffmann et Jean-Paul ? Mais qui porte plus qu'eux dans le fond de leur âme l'exquis sentiment du beau, du noble, de l'idéal ? Cependant ils n'hésitent pas à appeler un chat un chat, et ne croient pas pour cela déroger » (*Pensées de Jean-Paul*, dans Musset, éd. Allem, p. 893).

FANTASIO. — Chez la première venue. Te figures-tu que mes meubles se vendent demain matin? Nous en achèterons quelques-uns, n'est-ce pas?

SPARK. — Manques-tu d'argent, Henri [1]? Veux-tu ma bourse? 175

FANTASIO. — Imbécile ! si je n'avais pas d'argent, je n'aurais pas de dettes. J'ai envie de prendre pour maîtresse une fille d'opéra.

SPARK. — Cela t'ennuiera à périr.

FANTASIO. — Pas du tout; mon imagination se remplira de pirouettes et de souliers de satin blanc; il y aura un gant à moi sur la banquette du balcon depuis le 1er janvier jusqu'à la Saint-Sylvestre, 180 et je fredonnerai des solos de clarinette dans mes rêves, en attendant que je meure d'une indigestion de fraises dans les bras de ma bien-aimée. Remarques-tu une chose, Spark? c'est que nous n'avons point d'état [2]; nous n'exerçons aucune profession. 185

SPARK. — C'est là ce qui t'attriste?

FANTASIO. — Il n'y a point de maître d'armes mélancolique [3].

SPARK. — Tu me fais l'effet d'être revenu de tout.

FANTASIO. — Ah ! pour être revenu de tout, mon ami, il faut être allé dans bien des endroits. 190

SPARK. — Eh bien donc?

FANTASIO. — Eh bien donc ! où veux-tu que j'aille? Regarde cette vieille ville enfumée [4]; il n'y a pas de places, de rues, de ruelles où je n'aie rôdé trente fois; il n'y a pas de pavés où je n'aie traîné ces talons usés, pas de maisons où je ne sache quelle est 195 la fille ou la vieille femme dont la tête stupide se dessine éternellement à la fenêtre; je ne saurais faire un pas sans marcher sur mes pas d'hier; eh bien, mon cher ami, cette ville n'est rien auprès de ma cervelle. Tous les recoins m'en sont cent fois plus connus; toutes les rues, tous les trous de mon imagination sont 200 cent fois plus fatigués; je m'y suis promené en cent fois plus de sens, dans cette cervelle délabrée, moi son seul habitant ! je m'y suis grisé dans tous les cabarets; je m'y suis roulé comme un roi absolu dans un carrosse doré; j'y ai trotté en bon bourgeois sur une mule pacifique, et je n'ose seulement pas mainte- 205 nant y entrer comme un voleur, une lanterne sourde à la main.

SPARK. — Je ne comprends rien à ce travail perpétuel sur toi-même; moi, quand je fume, par exemple, ma pensée se fait fumée de tabac; quand je bois, elle se fait vin d'Espagne ou bière de Flandre; quand je baise la main de ma maîtresse, elle 210 entre par le bout de ses doigts effilés pour se répandre dans tout mon être sur des courants électriques [5]; il me faut le parfum

---

1. Musset aime ce prénom. C'est celui de Faust, chez Goethe. C'est celui de l'ami de Prévan, dans *le Roman par lettres*. Ce sera le prénom de M. de Chavigny, dans *Un Caprice* (l. 46). — 2. De situation. — 3. Voir le portrait de Scoronconcolo dans *Lorenzaccio* (III, sc. I, *U.L.B.*, p. 99). — 4. Munich. — 5. Nous sommes donc au XIXe siècle; on ne s'en doute pas toujours.

d'une fleur pour me distraire, et de tout ce que renferme l'universelle nature, le plus chétif objet suffit pour me changer en abeille et me faire voltiger çà et là avec un plaisir toujours nouveau [1]. 215

1. Voir *les Sources*, p. 51.

- **La psychologie de Fantasio** — Fantasio est mécontent de tout, du monde, de ses compatriotes et de lui-même. Il s'ennuie de voir toujours les mêmes figures. Il souhaite d'être un autre. Il est à l'affût de tout ce qui pourrait renouveler son horizon : aussi l'imagination joue-t-elle chez lui un très grand rôle. Les lectures romanesques, la rêverie sur la solitude humaine, le goût de nouvelles expériences forcées (les créanciers, l. 168) ou volontaires (les filles d'opéra, l. 177) pourront peut-être vaincre son ennui. Avec lucidité il reconnaît (l. 185) que tout vient de ce qu'il n'a pas un métier qui l'occupe.

① Relevez les formules les plus caractéristiques de son état d'esprit.

② Étudiez l'art du caricaturiste dans les propos de Fantasio. Comparez la peinture du *monsieur qui passe* (l. 153 et suiv.) à la description de Maître Blazius en utilisant la loi de Bergson (*Le Rire*, p. 87) : « Nous rions toutes les fois que notre attention est détournée sur le physique d'une personne, alors que le moral était en cause. »

- **Un souvenir d'enfance** — Paul de Musset a raconté (*Biographie*, p. 32) comment son frère et lui s'enthousiasmaient pour la lecture : « Nous dévorâmes ensemble tout ce qu'on put trouver de contes arabes et persans : *Mille et un Jours*, *Mille et une Nuits*, et la suite par Cazotte [1]. Notre appétit de merveilleux ne se contenta pas de les relire plusieurs fois, nous voulûmes les jouer comme des comédies. »

③ Pourquoi Fantasio aime-t-il ce livre (l. 148) ? Quelles conclusions sur les rapports de l'auteur et de son personnage tirez-vous du fait que Musset lui prête ses goûts ?

④ L'allusion au coucher de soleil *manqué* (l. 135) ne parodie-t-elle pas le goût des écrivains romantiques pour la description ?

⑤ Quel jugement sur les femmes implique l'allusion à *la première venue* (l. 172) et à la *bien-aimée* (l. 184) ?

- **La vie mondaine à l'époque romantique et chez Musset** — Le monde du théâtre et de l'opéra (actrices, danseuses, chanteuses) tient une grande place dans la vie et l'œuvre de Musset. La réussite sociale — par exemple un beau mariage, une liaison aristocratique — s'affirmait d'abord devant le public distingué des loges : la Camargo des *Marrons du Feu* était une danseuse dont Rafaël était las.

1. Auteur du *Diable amoureux* (1719-1792). Il a donné une suite aux *Mille et une Nuits* sous le titre de *Contes arabes*.

FANTASIO. — Tranchons le mot, tu es capable de pêcher à la ligne.
SPARK. — Si cela m'amuse, je suis capable de tout.
FANTASIO. — Même de prendre la lune avec les dents?
SPARK. — Cela ne m'amuserait pas. 220
FANTASIO. — Ah ! ah ! qu'en sais-tu? Prendre la lune [1] avec les dents n'est pas à dédaigner. Allons jouer au trente et quarante [2].
SPARK. — Non, en vérité.
FANTASIO. — Pourquoi?
SPARK. — Parce que nous perdrions notre argent. 225
FANTASIO. — Ah ! mon Dieu ! qu'est-ce que tu vas imaginer là ! Tu ne sais quoi inventer pour te torturer l'esprit. Tu vois donc tout en noir, misérable? Perdre notre argent ! tu n'as donc dans le cœur ni foi en Dieu ni espérance? tu es donc un athée épouvantable, capable de me dessécher le cœur et de me désabuser 230 de tout, moi qui suis plein de sève et de jeunesse [3]? (*Il se met à danser.*)
SPARK. — En vérité, il y a de certains moments où je ne jurerais pas que tu n'es pas fou.
FANTASIO, *dansant toujours*. — Qu'on me donne une cloche ! une 235 cloche de verre !
SPARK. — A propos de quoi une cloche?
FANTASIO. — Jean-Paul [4] n'a-t-il pas dit qu'un homme absorbé par une grande pensée est comme un plongeur sous sa cloche, au milieu du vaste Océan? Je n'ai point de cloche, Spark, point de 240 cloche, et je danse comme Jésus-Christ [5] sur le vaste Océan.
SPARK. — Fais-toi journaliste ou homme de lettres, Henri, c'est encore le plus efficace moyen qui nous reste de désopiler [6] la misanthropie et d'amortir l'imagination.
FANTASIO. — Oh ! je voudrais me passionner pour un homard à la 245 moutarde, pour une grisette, pour une classe de minéraux ! Spark ! essayons de bâtir une maison à nous deux.
SPARK. — Pourquoi n'écris-tu pas tout ce que tu rêves? cela ferait un joli recueil.
FANTASIO. — Un sonnet vaut mieux qu'un long poème, et un verre 250 de vin vaut mieux qu'un sonnet [7]. (*Il boit.*)
SPARK. — Pourquoi ne voyages-tu pas? va en Italie.
FANTASIO. — J'y ai été.
SPARK. — Eh bien ! est-ce que tu ne trouves pas ce pays-là beau?

---

1. Cf. Camus, *Caligula* (I, 5) : « CALIGULA. — Oui, je voulais la lune... c'est une des choses que je n'ai pas. » — 2. Jeu de cartes. Le jeu ruinait alors le dandy : voir *Rolla* et les romans de Balzac. — 3. Couplet inattendu. — 4. Voir *les Sources littéraires*, p. 30. — 5. Allusion impertinente à l'épisode de Jésus marchant sur les flots du lac de Tibériade. Musset avait pu lire la nouvelle de Balzac, *Jésus-Christ en Flandre* (1831). — 6. Terme médical : faire cesser les obstructions. Désopiler la rate, c'est exciter la gaieté. Il y a ici une amusante forme dérivée. — 7. Fantasio renchérit sur Boileau (*Art poétique*, II, v. 14) : « Un sonnet sans défaut vaut seul un long poème. »

FANTASIO. — Il y a une quantité de mouches grosses comme des hannetons qui vous piquent toute la nuit. 255

SPARK. — Va en France.

FANTASIO. — Il n'y a pas de bon vin du Rhin à Paris.

SPARK. — Va en Angleterre.

● **Deux tempéraments** — FANTASIO ne vit pas dans le présent, car le présent, c'est le réel qu'il déteste. Il vit constamment dans le passé ou l'avenir, là où son imagination le mène. SPARK, au contraire, trouve une satisfaction extraordinaire dans le plaisir qu'apporte chaque instant qui se présente.

① Étudiez le style de Musset dans les deux tirades (l. 192-206 et 207-216), en particulier le développement de la comparaison entre la ville et la cervelle. Notez les termes pittoresques.

● **Musset, source de Musset** — L'auteur s'emprunte une idée à lui-même : « Continue, je t'en supplie, et tu deviendras toi-même un lieu commun, un carrefour où les idées les plus rebattues traîneront comme autant de prostituées déguenillées, avec des chiens sans maître et des bouteilles cassées » (*Le Roman par lettres*, éd. Allem, p. 317).
« Ta cervelle est une lourde éponge dont tu voudrais en vain faire une pierre ponce » (*ibid.*).
« Passionne-toi pour un chien de chasse, *pour une grisette, pour un homard à la moutarde*, mais passionne-toi pour quelque chose » (*ibid.*).

② Comparez le détail de ces textes et *Fantasio* : l. 199, 202, 245.

● **Sources : La Fontaine** (*Discours à Madame de la Sablière*) :

> Papillon du Parnasse et semblable aux abeilles...
> Je suis chose légère, et vole à tout sujet ;
> Je vais de fleur en fleur, et d'objet en objet.

On remarquera cependant que le terme *l'universelle nature* (l. 213) appartient à la phraséologie philosophique ou romantique.

● **Jean-Paul** — Musset avait remarqué cette pensée de Jean-Paul (l. 238) qu'il avait citée dans son article du *Temps* du 6 juin 1831 : « Sous l'empire d'une idée puissante, nous nous trouvons comme le plongeur sous la cloche, à l'abri des flots de la mer immense qui nous environne » (éd. Allem, p. 894).
Il mettra la même image sur les lèvres de Lorenzaccio (*U.L.B.* l. 2074) : « Je me suis enfoncé dans cette mer houleuse de la vie; j'en ai parcouru toutes les profondeurs, couvert de ma cloche de verre. » Mais, pour Lorenzo, la cloche n'était guère étanche.

③ Définissez les goûts littéraires de Fantasio et de Musset, leurs admirations et leurs aversions communes.

FANTASIO. — J'y suis. Est-ce que les Anglais [1] ont une patrie? J'aime autant les voir ici que chez eux. 260

SPARK. — Va donc au diable, alors !

FANTASIO. — Oh ! s'il y avait un diable dans le ciel ! s'il y avait un enfer, comme je me brûlerais la cervelle pour aller voir tout ça [2] ! Quelle misérable chose que l'homme ! ne pas pouvoir 265 seulement sauter par sa fenêtre sans se casser les jambes ! être obligé de jouer du violon dix ans pour devenir un musicien passable ! Apprendre pour être peintre, pour être palefrenier ! Apprendre pour faire une omelette [3] ! Tiens, Spark, il me prend des envies de m'asseoir sur un parapet, de regarder cou- 270 ler la rivière, et de me mettre à compter un, deux, trois, quatre, cinq, six, sept, et ainsi de suite jusqu'au jour de ma mort.

SPARK. — Ce que tu dis là ferait rire bien des gens; moi, cela me fait frémir : c'est l'histoire du siècle entier. L'éternité est une grande aire, d'où tous les siècles, comme de jeunes aiglons [4], se 275 sont envolés tour à tour pour traverser le ciel et disparaître; le nôtre est arrivé à son tour au bord du nid; mais on lui a coupé les ailes, et il attend la mort en regardant l'espace dans lequel il ne peut s'élancer.

FANTASIO, *chantant.* —

Tu m'appelles la vie, appelle-moi ton âme, 280
Car l'âme est immortelle et la vie est un jour...

Connais-tu une plus divine romance que celle-là, Spark? C'est une romance portugaise [5]. Elle ne m'est jamais venue à l'esprit sans me donner envie d'aimer quelqu'un.

SPARK. — Qui, par exemple? 285

FANTASIO. — Qui? je n'en sais rien; quelque belle fille toute ronde comme les femmes de Miéris [6]; quelque chose de doux comme le vent d'ouest, de pâle comme les rayons de la lune; quelque chose de pensif comme ces petites servantes d'auberge des tableaux flamands qui donnent le coup de l'étrier à un voya- 290

---

1. Cette revue, rapide et ironique ,des pays européens peut avoir été inspirée par *la Princesse de Babylone* de Voltaire. — 2. Baudelaire reprendra ce thème dans la fin du *Voyage*. — 3. Musset s'inspire ici de Jean-Paul : « Sans travail et sans application, ce qu'il y a de meilleur dans cette vie devient inutile; il n'est pas même possible de bien connaître un jeu sans en faire l'objet d'une étude sérieuse. » — 4. Voir *Rolla* : « Lorsque le jeune aiglon, voyant partir sa mère... » — 5. M. Allem a consacré une note érudite à cette romance (*Théâtre*, p. 802, n. 4). C'est sans doute dans Byron (et non chez Mme de Staël où l'on trouve le premier vers) que Musset découvrit cette chanson. M. Andrade (*l'Intermédiaire* du 10 avril 1890) la cite :

Tu me chamas tua vida,	Tu m'appelles ta vie,
Tu tua alma quiro sir ;	Je veux être ton âme ;
A vida e curta e acaba,	La vie est courte et a une fin,
A alma nas pro de morrer.	L'âme ne peut mourir.

— 6. Famille de peintres hollandais. Il s'agit sans doute ici de *Miéris* le Vieux (1635-1681). Cf. *Une bonne fortune* : « Une ronde fillette, échappée à Téniers. »

geur à larges bottes, droit comme un piquet sur un grand cheval blanc. Quelle belle chose que le coup de l'étrier ! une jeune femme sur le pas de sa porte, le feu allumé qu'on aperçoit au fond de la chambre, le souper préparé, les enfants endormis; toute la tranquillité de la vie paisible et contemplative dans un coin du tableau ! et là l'homme encore haletant, mais ferme sur la selle, ayant fait vingt lieues, en ayant trente à faire; une gorgée d'eau-de-vie, et adieu. La nuit est profonde là-bas, le temps menaçant, la forêt dangereuse; la bonne femme le suit 295

● **Le romantisme de l'enfant du siècle** — Fantasio, dont les propos semblaient jusqu'ici assez décousus, nous livre, sous forme de boutades paradoxales ou en évoquant une œuvre d'art, le fond de son cœur. On y découvre l'angoisse métaphysique provoquée par la vue d'un monde qui ne répond pas à notre désir, du mépris pour les longs labeurs qui nous sont infligés, un jugement sévère sur le siècle qui a perdu son espérance, la pensée du suicide et de la mort, le rêve d'une vie simple.

① Recherchez, dans *Rolla* ou dans *la Confession d'un enfant du siècle*, l'expression d'idées analogues.

② Discutez les idées de Fantasio. Distinguez la part du sérieux et le goût du paradoxe facile.

● **Fantasio et Rolla** — Spark souhaite (l. 302) que Fantasio soit sauvé par l'amour, comme Rolla aurait pu l'être par l'amour qui anime toute la nature :

> *J'aime ! — voilà le mot que la nature entière*
> *Crie au vent qui l'emporte, à l'oiseau qui le suit.*

● **La tirade du coup de l'étrier** (l. 286-301) est inspirée de Hoffmann : « Un des meilleurs tableaux du célèbre Hummel représente une société dans une locanda italienne : une treille chargée de grappes ; elle a une libre issue dans la campagne et laisse voir un cavalier arrêté devant la locanda et qui se rafraîchit sans quitter sa selle » (E. T. A. Hoffmann, *Contes fantastiques*, Première série, *la Vie d'artiste*, I, p. 274-275). Cf. J. Giraud, *op. cit.*, p. 234.
Mais ici le décor final introduit une note plus romantique. Dans l'édition pour la scène, de 1866, Paul de Musset a déplacé cette tirade et l'a intégrée à la fin de la seconde entrevue de Fantasio et d'Elsbeth ; elle lui sert de conclusion. La peinture flamande et hollandaise est à la mode. Balzac l'évoquera aussi dans *la Recherche de l'Absolu* (1834) et, un peu plus tard, il décrira un tableau de Miéris dans *Béatrix* (1839).

③ Analysez ce qui fait le charme de cette évocation. Tous les détails en sont-ils parfaitement cohérents ?

④ Appréciez ce jugement de M. Jean Pommier (*op. cit.*, p. 56) sur Fantasio : « C'est un cœur en peine qui n'est fixé nulle part ; qui divague de rêve en rêve, comme sa personne déambule dans les rues de Munich, sans avoir de gîte. »

---

des yeux une minute, puis elle laisse tomber, en retournant à son feu, cette sublime aumône du pauvre : Que Dieu le protège ! 300

SPARK. — Si tu étais amoureux, Henri, tu serais le plus heureux des hommes.

FANTASIO. — L'amour n'existe plus, mon cher ami. La religion, sa nourrice, a les mamelles pendantes [1] comme une vieille bourse au fond de laquelle il y a un gros sou. L'amour est une hostie qu'il faut briser en deux au pied d'un autel et avaler ensemble dans un baiser; il n'y a plus d'autel, il n'y a plus d'amour. Vive la nature ! il y a encore du vin. (*Il boit.*) 305

SPARK. — Tu vas te griser. 310

FANTASIO. — Je vais me griser, tu l'as dit.

SPARK. — Il est un peu tard pour cela.

FANTASIO. — Qu'appelles-tu tard? midi, est-ce tard? minuit, est-ce de bonne heure? Où prends-tu la journée? Restons là, Spark, je t'en prie. Buvons, causons, analysons, déraisonnons, faisons de la politique; imaginons des combinaisons de gouvernement; attrapons tous les hannetons qui passent autour de cette chandelle, et mettons-les dans nos poches. Sais-tu que les canons à vapeur [2] sont une belle chose en matière de philanthropie? 315

SPARK. — Comment l'entends-tu? 320

FANTASIO. — Il y avait une fois un roi qui était très sage, très sage, très heureux, très heureux...

SPARK. — Après?

FANTASIO. — La seule chose qui manquait à son bonheur, c'était d'avoir des enfants. Il fit faire des prières publiques dans toutes les mosquées. 325

SPARK. — A quoi en veux-tu venir?

FANTASIO. — Je pense à mes chères Mille et une Nuits [3]. C'est comme cela qu'elles commencent toutes. Tiens, Spark, je suis gris. Il faut que je fasse quelque chose. Tra la, tra la ! Allons, levons-nous ! (*Un enterrement passe.*) Ohé ! braves gens, qui enterrez-vous là? Ce n'est pas maintenant l'heure d'enterrer proprement. 330

LES PORTEURS. — Nous enterrons Saint-Jean.

FANTASIO. — Saint-Jean est mort? le bouffon du roi est mort? Qui a pris sa place? le ministre de la Justice [4]? 335

LES PORTEURS. — Sa place est vacante, vous pouvez la prendre si vous voulez. (*Ils sortent.*)

SPARK. — Voilà une insolence que tu t'es bien attirée. A quoi penses-tu, d'arrêter ces gens? 340

---

1. Cf. la « sanglante mamelle » du Pélican dans la *Nuit de mai.* — 2. Le bateau à vapeur, la locomotive étaient d'origine récente, en 1834. Mais pour le canon à vapeur, Fantasio est un précurseur encore méconnu. — 3. C'est la suite de la première réplique de Fantasio (voir l. 105 et 148). — 4. Dans l'édition pour la scène, de 1866, Paul de Musset remplaça *le ministre de la Justice* par : « le doyen des Facultés ».

FANTASIO. — Il n'y a rien là d'insolent. C'est un conseil d'ami que m'a donné cet homme, et que je vais suivre à l'instant.

SPARK. — Tu vas te faire bouffon de la Cour?

FANTASIO. — Cette nuit même, si l'on veut de moi. Puisque je ne puis coucher chez moi, je veux me donner la représentation de cette royale comédie [1] qui se jouera demain, et de la loge du roi lui-même. 345

SPARK. — Comme tu es fin ! On te reconnaîtra, et les laquais te mettront à la porte; n'es-tu pas filleul de la feue reine?

FANTASIO. — Comme tu es bête ! je me mettrai une bosse et une perruque rousse comme la portait Saint-Jean, et personne ne me reconnaîtra, quand j'aurais trois douzaines de parrains à mes trousses. (*Il frappe à une boutique.*) Hé ! brave homme, ouvrez-moi, si vous n'êtes pas sorti, vous, votre femme et vos petits chiens [2] ! 350 355

1. Le mariage. — 2. Ces *petits chiens* ne viendraient-ils pas du *Dom Juan* de Molière, que l'auteur de *Namouna* connaissait bien? Dans la scène (IV, 3) avec M. Dimanche (son tailleur), Don Juan, après avoir pris des nouvelles de l'épouse, de la petite Claudine, du petit Colin, s'inquiète enfin du petit chien : « Et votre petit chien Brusquet? » On notera aussi la même impertinence de l'homme qui a des dettes à l'égard des marchands.

● **Musset-Fantasio et la politique** — « Il n'a que sarcasmes, dans la seconde des *Lettres de Dupuis et Cotonet* et dans *Dupont et Durand*, pour les rêveries humanitaires des Saint-Simoniens et des Fouriéristes. Qu'il s'agisse de systèmes longuement et définitivement construits dans le silence du cabinet ou de l'action directe des propagandistes, [Musset] ne croit pas que l'homme puisse changer, ni que ses contemporains soient de taille à améliorer l'humanité ; et puis, quel que soit l'avenir de ces rêveries, la poésie n'a rien à voir avec elles. Le poète n'a rien à voir avec la cité » (Ph. Van Tieghem, *Musset, l'homme et l'œuvre*, p. 122-123).

① Les sarcasmes de Fantasio sont-ils en accord avec ses idées générales sur le monde ? Pourquoi ?

● **La brusque décision de Fantasio** — La scène n'était jusqu'ici qu'une conversation à bâtons rompus, et elle n'avait aucun rapport avec le thème initial du mariage de la Princesse Elsbeth. Le dialogue ne paraissait préparer nulle action, nulle décision. Brusquement (l. 344), Fantasio prend une décision que rien ne laissait prévoir.

② Vous montrerez comment elle peut paraître logique après les déclarations du personnage.

③ Vous analyserez l'art de l'auteur qui rend naturelle et vivante cette décision : rapidité, surprise, pittoresque.

L'ensemble de la scène 2

④ Quelle impression nous laisse-t-elle ? Essayez d'en dégager la composition en montrant la succession et l'enchaînement des thèmes. Est-ce du théâtre ?

[sc. 6]

UN TAILLEUR, *ouvrant la boutique.* — Que demande votre seigneurie ?
FANTASIO. — N'êtes-vous pas tailleur de la Cour ?
LE TAILLEUR. — Pour vous servir.
FANTASIO. — Est-ce vous qui habilliez Saint-Jean ?
LE TAILLEUR. — Oui, monsieur. 360
FANTASIO. — Vous le connaissiez ? Vous savez de quel côté était sa bosse, comment il frisait sa moustache, et quelle perruque il portait ?
LE TAILLEUR. — Hé, hé ! monsieur veut rire.
FANTASIO. — Homme ! je ne veux point rire; entre dans ton arrière-boutique; et si tu ne veux être empoisonné demain dans ton café au lait [1], songe à être muet comme la tombe sur tout ce qui va se passer ici. (*Il sort avec le tailleur, Spark les suit.*) 365

SCÈNE III. — *Une auberge sur la route de Munich. Entrent* LE PRINCE DE MANTOUE *et* MARINONI

LE PRINCE. — Eh bien, colonel ?
MARINONI. — Altesse ? 370
LE PRINCE. — Eh bien, Marinoni ?
MARINONI. — Mélancolique, fantasque, d'une joie folle, soumise à son père, aimant beaucoup les pois verts.
LE PRINCE. — Écris cela; je ne comprends clairement que les écritures moulées en bâtarde [2]. 375
MARINONI, *écrivant.* — Mélanco...
LE PRINCE. — Écris à voix basse; je rêve à un projet d'importance depuis mon dîner.
MARINONI. — Voilà, Altesse, ce que vous demandez.
LE PRINCE. — C'est bien; je te nomme mon ami intime [3]; je ne connais pas dans tout mon royaume de plus belle écriture que la tienne. Assieds-toi à quelque distance. Vous pensez donc, mon ami, que le caractère de la princesse, ma future épouse, vous est secrètement connu ? 380
MARINONI. — Oui, Altesse; j'ai parcouru les alentours du palais, et ces tablettes [4] renferment les principaux traits des conversations différentes dans lesquelles je me suis immiscé [5]. 385
LE PRINCE, *se mirant.* — Il me semble que je suis poudré comme un homme de la dernière classe.

---

1. Voir *Lorenzaccio* (III, 3, *U.L.B.*, l. 2111) : « Pas une goutte de poison ne tombe dans mon chocolat. » Nous voici donc passés du XIXe siècle au XVIe. — 2. Écriture qui tient de la ronde et de l'anglaise. — 3. Voir *On ne badine pas* (I, 2, *U.L.B.*, l. 69) : « Maître Bridaine, vous êtes *mon ami.* » — 4. Feuilles d'ivoire, de parchemin, de papier, attachées ensemble et que l'on porte sur soi pour écrire les choses dont on veut se souvenir. Expression prétentieuse. — 5. Mot rare. Marinoni a un vocabulaire affecté.

MARINONI. — L'habit est magnifique. 390
LE PRINCE. — Que dirais-tu, Marinoni, si tu voyais ton maître revêtir un simple frac [1] olive?
MARINONI. — Son Altesse se rit de ma crédulité.
LE PRINCE. — Non, colonel. Apprends que ton maître est le plus romanesque des hommes. 395
MARINONI. — Romanesque, Altesse?
LE PRINCE. — Oui, mon ami (je t'ai accordé ce titre); l'important projet que je médite est inouï dans ma famille; je prétends arriver à la Cour du roi mon beau-père dans l'habillement d'un simple aide de camp; ce n'est pas assez d'avoir envoyé 400 un homme de ma maison recueillir les bruits publics sur la future princesse de Mantoue (et cet homme, Marinoni, c'est toi-même), je veux encore observer par mes yeux.
MARINONI. — Une seule chose me paraît s'opposer au dessein de Votre Altesse. 405
LE PRINCE. — Laquelle?
MARINONI. — L'idée d'un tel travestissement ne pouvait appartenir qu'au prince glorieux qui nous gouverne. Mais si mon gracieux souverain est confondu parmi l'état-major, à qui le roi de Bavière fera-t-il les honneurs d'un festin splendide 410 qui doit avoir lieu dans la galerie?
LE PRINCE. — Tu as raison; si je me déguise, il faut que quelqu'un prenne ma place. Cela est impossible, Marinoni; je n'avais pas pensé à cela. 415
MARINONI. — Pourquoi impossible, Altesse?
LE PRINCE. — Je puis bien abaisser la dignité princière jusqu'au grade de colonel; mais comment peux-tu croire que je consentirais à élever jusqu'à mon rang un homme quelconque? Penses-tu d'ailleurs que mon futur beau-père me le pardonnerait? 420
MARINONI. — Le roi passe pour un homme de beaucoup de sens et d'esprit, avec une humeur agréable.
LE PRINCE. — Ah! ce n'est pas sans peine que je renonce à mon projet. Pénétrer dans cette Cour nouvelle sans faste et sans bruit, observer tout, approcher de la princesse sous un faux 425 nom, et peut-être m'en faire aimer! — Oh! je m'égare; cela est impossible. Marinoni, mon ami, essaye mon habit de cérémonie; je ne saurais y résister.
MARINONI, *s'inclinant.* — Altesse!
LE PRINCE. — Penses-tu que les siècles futurs oublieront une pareille 430 circonstance?
MARINONI. — Jamais, gracieux Prince.
LE PRINCE. — Viens essayer mon habit. (*Ils sortent.*)

---

1. Mot d'origine allemande. Habit d'homme, serré à la taille et à basques étroites.

● **Les grotesques** — Une comparaison avec le Baron d'*On ne badine pas avec l'amour* (œuvre qui a pu être composée à la même époque que *Fantasio*) permettrait de saisir sur le vif les procédés comiques de Musset dans la peinture des grotesques. Mêmes projets faussement romanesques déjoués par la vie, même absence de spontanéité dans l'action, même embarras devant l'inattendu, même langage emphatique, même sens de ce que l'on doit à sa dignité.

① Relevez ces traits chez le Prince.

② Montrez qu'en dépit de leur différence sociale le Prince et Marinoni parlent le même langage.

● **Le premier acte**

③ Analysez sa structure. Est-il bien composé? Quelle impression laisse-t-il au spectateur? Où en est l'action quand le rideau se baisse?

Jean Piat (LE PRINCE déguisé en aide de camp) avec Mony Dalmès (Elsbeth) dans la scène 2 de l'acte II.

ACTE SECOND

SCÈNE I. — *Le jardin du roi de Bavière. Entrent* ELSBETH *et sa* GOUVERNANTE.

LA GOUVERNANTE. — Mes pauvres yeux en ont pleuré, pleuré un torrent du ciel. 435

ELSBETH. — Tu es si bonne ! Moi aussi j'aimais Saint-Jean; il avait tant d'esprit ! Ce n'était point un bouffon ordinaire.

LA GOUVERNANTE. — Dire que le pauvre homme est allé là-haut la veille de vos fiançailles ! lui qui ne parlait que de vous à dîner et à souper, tant que le jour durait. Un garçon si gai, si amusant, 440 qu'il faisait aimer la laideur, et que les yeux le cherchaient toujours en dépit d'eux-mêmes !

ELSBETH. — Ne me parle pas de mon mariage; c'est encore là un grand malheur.

LA GOUVERNANTE. — Ne savez-vous pas que le prince de Mantoue 445 arrive aujourd'hui? On dit que c'est un Amadis [1].

ELSBETH. — Que dis-tu là, ma chère ! Il est horrible et idiot, tout le monde le sait déjà ici.

LA GOUVERNANTE. — En vérité ! on m'avait dit que c'était un Amadis. 450

ELSBETH. — Je ne demandais pas un Amadis, ma chère; mais cela est cruel quelquefois, de n'être qu'une fille de roi. Mon père est le meilleur des hommes; le mariage qu'il prépare assure la paix de son royaume; il recevra en récompense la bénédiction d'un peuple; mais moi, hélas ! j'aurai la sienne, et rien de plus. 455

LA GOUVERNANTE. — Comme vous parlez tristement !

ELSBETH. — Si je refusais le prince, la guerre serait bientôt recommencée; quel malheur que ces traités de paix se signent toujours avec des larmes ! Je voudrais être une forte tête, et me résigner à épouser le premier venu, quand cela est nécessaire 460 en politique. Être la mère d'un peuple, cela console les grands cœurs, mais non les têtes faibles. Je ne suis qu'une pauvre rêveuse; peut-être la faute en est-elle à tes romans; tu en as toujours dans tes poches.

LA GOUVERNANTE. — Seigneur ! n'en dites rien. 465

---

1. Héros d'un roman espagnol de chevalerie que Cervantès admirait. Ce héros est resté le type des amants constants et respectueux, comme notre Céladon, héros de l'*Astrée*. « Parmi les livres de mon grand-père Desherbiers, je trouvai un jour la légende des *Quatre fils Aymon* [...]. Nous demandâmes à grands cris des romans. Il nous fallait le *Roland furieux*, et puis *Amadis* [...]. Nous cherchions les prouesses [...]; quant aux scènes d'amour nous n'en faisions point de cas, et nous tournions la page dès que les paladins se mettaient à roucouler » (Paul de Musset, *Biographie*, p. 41).

ELSBETH. — J'ai peu connu la vie, et j'ai beaucoup rêvé.

LA GOUVERNANTE. — Si le prince de Mantoue est tel que vous le dites, Dieu ne laissera pas cette affaire-là s'arranger, j'en suis sûre.

ELSBETH. — Tu crois ! Dieu laisse faire les hommes, ma pauvre amie, et il ne fait guère plus de cas de nos plaintes que du bêlement d'un mouton. 470

LA GOUVERNANTE. — Je suis sûre que si vous refusiez le prince, votre père ne vous forcerait pas.

ELSBETH. — Non, certainement, il ne me forcerait pas; et c'est pour cela que je me sacrifie. Veux-tu que j'aille dire à mon père d'oublier sa parole, et de rayer d'un trait de plume son nom respectable sur un contrat qui fait des milliers d'heureux? Qu'importe qu'il fasse une malheureuse? Je laisse mon bon père être un bon roi. 475 480

LA GOUVERNANTE. — Hi ! hi ! (*Elle pleure.*)

ELSBETH. — Ne pleure pas sur moi, ma bonne; tu me ferais peut-être pleurer moi-même, et il ne faut pas qu'une royale fiancée ait les yeux rouges. Ne t'afflige pas de tout cela. Après tout, je serai une reine, c'est peut-être amusant; je prendrai peut-être goût à mes parures, que sais-je? à mes carrosses, à ma nouvelle cour; heureusement qu'il y a pour une princesse autre chose dans un mariage qu'un mari. Je trouverai peut-être le bonheur au fond de ma corbeille de noces [1]. 485

LA GOUVERNANTE. — Vous êtes un vrai agneau pascal [2]. 490

ELSBETH. — Tiens, ma chère, commençons toujours par en rire, quitte à en pleurer quand il en sera temps [3]. On dit que le prince de Mantoue est la plus ridicule chose du monde.

LA GOUVERNANTE. — Si Saint-Jean était là !

ELSBETH. — Ah ! Saint-Jean ! Saint-Jean ! 495

LA GOUVERNANTE. — Vous l'aimiez beaucoup, mon enfant.

ELSBETH. — Cela est singulier; son esprit m'attachait à lui avec des fils imperceptibles qui semblaient venir de mon cœur; sa perpétuelle moquerie de mes idées romanesques me plaisait à l'excès, tandis que je ne puis supporter qu'avec peine bien des gens qui abondent dans mon sens; je ne sais ce qu'il y avait autour de lui, dans ses yeux, dans ses gestes, dans la manière dont il prenait son tabac [4]. C'était un homme bizarre; tandis qu'il me parlait, il me passait devant les yeux des tableaux 500

1. Dans *la Nuit vénitienne,* le prince d'Eysenach décrit ainsi les plaisirs de la Cour : « Aimez-vous les chevaux, la chasse, les fêtes, les spectacles, les dragées, les amants, les petits vers, les diamants, les soupers, le galop, les masques, les petits chiens, les folies? — Tout pleuvra autour de vous » (éd. Allem, p. 276). — 2. Cf. *On ne badine pas*... (acte I, *U.L.B.*, l. 56) : « DAME PLUCHE. — ... Jamais il n'y a rien eu de si pur, de si ange, de si *agneau* et de si colombe que cette chère nonnain. » — 3. Cf. *le Barbier de Séville* (I, 2, *U.L.B.*, l. 163) : « FIGARO. — Je me presse de *rire* de tout, de peur d'être obligé d'en *pleurer* ». — 4. *Tabac* à priser.

délicieux; sa parole donnait la vie, comme par enchantement, 505
aux choses les plus étranges.

LA GOUVERNANTE. — C'était un vrai Triboulet [1].

ELSBETH. — Je n'en sais rien; mais c'était un diamant [2] d'esprit.

LA GOUVERNANTE. — Voilà des pages qui vont et viennent; je crois que le prince ne va pas tarder à se montrer; il faudrait retour- 510
ner au palais pour vous habiller.

ELSBETH. — Je t'en supplie, laisse-moi un quart d'heure encore; va préparer ce qu'il me faut. Hélas ! ma chère, je n'ai plus longtemps à rêver.

LA GOUVERNANTE. — Seigneur, est-il possible que ce mariage se 515
fasse, s'il vous déplaît? Un père sacrifier sa fille! le roi serait un véritable Jephté [3], s'il le faisait.

---

1. Fou célèbre des rois de France sous la Renaissance : voir *le Roi s'amuse*, de Victor Hugo. Il y a loin du père désespéré qu'est Triboulet à notre Fantasio. — 2. Cf. *On ne badine pas...* (I, l. 23) : « BLAZIUS. — C'est *un diamant* fin des pieds à la tête. » — 3. *Jephté*, un des Juges d'Israël, avait promis de sacrifier, s'il était vainqueur de ses ennemis, la première personne qu'il rencontrerait à son retour. Ce fut sa fille. Plutôt qu'à la Bible qu'il connaissait mal, Musset pense sans doute au poème de Vigny, *la Fille de Jephté*. Avant de mourir, l'héroïne de Vigny demande à son père deux mois de liberté dans la montagne.

● **Les personnages. Elsbeth** n'avait pas encore paru. Sur elle nous n'avions, grâce au Roi, aux étudiants, à Marinoni, que quelques indications éparses et contradictoires. Aussi Musset nous la présente-t-il maintenant seule avec sa gouvernante, c'est-à-dire sa confidente, et nous saurons donc ce qui se passe dans son cœur.
Elsbeth « est romanesque comme Ninon (dans *A quoi rêvent les jeunes filles*). Mais avec combien de différences ! Si elle ne peut se défendre de rêver, du moins se défie-t-elle de ses rêves. Sa nature faite à la solitude et réfléchie, son intelligence qui se plaît à raisonner, tout lui fait entrevoir que la vie ne se déroule pas sur le même plan que les romans. Elle s'attend aux déceptions, avec un frémissement douloureux que la dignité réfrène ; c'est la fille du devoir » (P. Gastinel, *le Romantisme d'Alfred de Musset*, p. 321).

① Montrez que les propos d'Elsbeth révèlent ses tendances romanesques, sa délicatesse, sa sensibilité, mais aussi sa vivacité et son goût de la contradiction.

● **La Gouvernante** apparaît bien différente de Dame Pluche. Lafoscade distingue, dans les grotesques, ceux qui sont grossis exagérément et construits sur un seul travers et ceux qui ne sont pas tout d'une pièce, mais où se mélangent ridicule et bonté. Il cite le Roi et la Gouvernante de *Fantasio*.

② Quel est le principal trait de caractère de la Gouvernante ? Pourquoi est-elle aussi sympathique que Dame Pluche l'est peu ? Comparez leur style.

ELSBETH. — Ne dis pas de mal de mon père; va, ma chère, prépare ce qu'il me faut. (*La gouvernante sort.*)

ELSBETH, *seule.* — Il me semble qu'il y a quelqu'un derrière ces bosquets. Est-ce le fantôme de mon pauvre bouffon que j'aperçois dans ces bluets [1], assis sur la prairie? Répondez-moi; qui êtes-vous? que faites-vous là, à cueillir ces fleurs? (*Elle s'avance vers un tertre.*) 520

FANTASIO, *assis, vêtu en bouffon, avec une bosse et une perruque.* — Je suis un brave cueilleur de fleurs, qui souhaite le bonheur à vos beaux yeux. 525

ELSBETH. — Que signifie cet accoutrement? qui êtes-vous pour venir parodier sous cette large perruque un homme que j'ai aimé? Êtes-vous écolier en bouffonnerie? 530

FANTASIO. — Plaise à votre Altesse Sérénissime, je suis le nouveau bouffon du roi; le majordome m'a reçu favorablement; je suis présenté au valet de chambre; les marmitons me protègent depuis hier au soir, et je cueille modestement des fleurs en attendant qu'il me vienne de l'esprit. 535

ELSBETH. — Cela me paraît douteux, que vous cueilliez jamais cette fleur-là.

FANTASIO. — Pourquoi? l'esprit peut venir à un homme vieux, tout comme à une jeune fille. Cela est si difficile quelquefois de distinguer un trait spirituel d'une grosse sottise! Beaucoup parler, voilà l'important; le plus mauvais tireur de pistolet peut attraper la mouche [2], s'il tire sept cent quatre-vingts coups à la minute, tout aussi bien que le plus habile homme qui n'en tire qu'un ou deux bien ajustés. Je ne demande qu'à être nourri convenablement pour la grosseur de mon ventre, et je regarderai mon ombre au soleil pour voir si ma perruque pousse. 540 545

ELSBETH. — En sorte que vous voilà revêtu des dépouilles de Saint-Jean? Vous avez raison de parler de votre ombre; tant que vous aurez ce costume, elle lui ressemblera toujours, je crois, plus que vous. 550

FANTASIO. — Je fais en ce moment une élégie qui décidera de mon sort.

ELSBETH. — En quelle façon?

FANTASIO. — Elle prouvera clairement que je suis le premier homme du monde, ou bien elle ne vaudra rien du tout. Je suis en train de bouleverser l'univers pour le mettre en acrostiche [3]; la lune, le soleil et les étoiles se battent pour entrer dans mes 555

---

1. La vue des spectatrices de l'Opéra faisait dire à George Sand (*Journal Intime*, p. 11) : « Voilà, au-dessus de moi, le champ où Fantasio va cueillir ses *bluets.* » — 2. Point noir au centre de la cible. — 3. Genre précieux par excellence, c'est une pièce composée d'autant de vers qu'il y a de lettres dans un mot donné, chaque vers commençant par une lettre de ce mot, de manière qu'on puisse le lire verticalement.

rimes [1] comme des écoliers à la porte d'un théâtre de mélodrames [2].

ELSBETH. — Pauvre homme ! quel métier tu entreprends ! faire de l'esprit à tant par heure ! N'as-tu ni bras ni jambes, et ne ferais-tu pas mieux de labourer la terre que ta propre cervelle ? 560

FANTASIO. — Pauvre petite ! quel métier vous entreprenez ! épouser un sot que vous n'avez jamais vu ! — N'avez-vous ni cœur ni tête, et ne feriez-vous pas mieux de vendre vos robes que votre corps ? 565

---

1. Allusion possible à Senancour (*Obermann*, lettre 85). Musset reprendra l'idée dans *Dupont et Durand* en 1838 :

J'accouchai lentement d'un poème effroyable.
La lune et le soleil se battaient dans mes vers.

— 2. Cf. *Après une lecture :* « Vive le mélodrame où Margot a pleuré! »

● **Avant la rencontre** — Avec un art délicat, l'auteur crée l'atmosphère. Il fait brosser par Elsbeth un portrait de Saint-Jean (l. 497 et suiv.), le bouffon qu'elle a aimé. Nous qui connaissons Fantasio, nous trouvons que ce portrait lui va comme un gant.
En quelques touches légères, Musset dresse un décor (l. 520-524). Les bluets lui suffisent. Et voilà pour toujours Fantasio au milieu de ses bluets ! Par la suite, le dialogue pourra paraître incisif ou sarcastique, nous ne pourrons cependant oublier la fraîcheur de ces fleurs jetées entre les personnages.

① Appréciez l'art de l'auteur dans cette présentation.

● **L'attitude des deux personnages** — FANTASIO se présente avec une politesse narquoise à l'égard des autres et de lui-même. ELSBETH le rabroue et se moque.

② Pourquoi Elsbeth, qui est si délicate, se montre-t-elle au début si sarcastique et dure à l'égard du nouveau bouffon ? Est-ce par méchanceté ? Par mauvaise humeur ? Que lui reproche-t-elle, au fond ?

③ Étudiez le style du dialogue : pittoresque des formules, rapprochements de mots saisissants, métaphores.

● **Contrepoint littéraire** — Les allusions littéraires sont nombreuses et permettent de juger des goûts et des idées de Musset. En mettant dans la bouche de la Gouvernante les noms de *Jephté* (l. 517) et de *Triboulet* (l. 507), il témoigne, non sans quelque détachement, du succès des œuvres romantiques. En se moquant (l. 551) de ceux qui ne doivent leur succès qu'à une *élégie* (Lamartine ?), à un *acrostiche* (l. 556), à un *mélodrame* (l. 558) pour écoliers, il prend ses distances et montre qu'il n'est pas dupe de la comédie littéraire.

④ Sur quel ton Fantasio parle-t-il de la littérature ? Pourquoi ?

ELSBETH. — Voilà qui est hardi, monsieur le nouveau venu !
FANTASIO. — Comment appelez-vous cette fleur-là, s'il vous plaît ?
ELSBETH. — Une tulipe. Que veux-tu prouver ?
FANTASIO. — Une tulipe rouge, ou une tulipe bleue ? 57
ELSBETH. — Bleue, à ce qu'il me semble.
FANTASIO. — Point du tout, c'est une tulipe rouge.
ELSBETH. — Veux-tu mettre un habit neuf à une vieille sentence ? tu n'en as pas besoin pour dire que du goût et des couleurs il n'en faut pas disputer. 57
FANTASIO. — Je ne dispute pas ; je vous dis que cette tulipe est une tulipe rouge, et cependant je conviens qu'elle est bleue.
ELSBETH. — Comment arranges-tu cela ?
FANTASIO. — Comme votre contrat de mariage. Qui peut savoir sous le soleil s'il est né bleu ou rouge ? Les tulipes elles-mêmes 58 n'en savent rien. Les jardiniers et les notaires font des greffes si extraordinaires, que les pommes deviennent des citrouilles, et que les chardons sortent de la mâchoire de l'âne pour s'inonder de sauce [1] dans le plat d'argent d'un évêque. Cette tulipe que voilà s'attendait bien à être rouge, mais on l'a mariée ; elle 58 est tout étonnée d'être bleue : c'est ainsi que le monde entier se métamorphose sous les mains de l'homme ; et la pauvre dame nature doit se rire parfois au nez de bon cœur, quand elle mire dans ses lacs et dans ses mers son éternelle mascarade. Croyez-vous que ça sentît la rose dans le paradis de Moïse ? ça ne sen- 59 tait que le foin vert. La rose est fille de la civilisation ; c'est une marquise comme vous et moi.
ELSBETH. — La pâle fleur de l'aubépine peut devenir une rose, et un chardon peut devenir un artichaut ; mais une fleur ne peut en devenir une autre : ainsi qu'importe à la nature ? on ne la 59 change pas, on l'embellit ou on la tue. La plus chétive violette mourrait plutôt que de céder, si l'on voulait, par des moyens artificiels, altérer sa forme d'une étamine.
FANTASIO. — C'est pourquoi je fais plus de cas d'une violette que d'une fille de roi. 600
ELSBETH. — Il y a de certaines choses que les bouffons eux-mêmes n'ont pas le droit de railler ; fais-y attention. Si tu as écouté ma conversation avec ma gouvernante, prends garde à tes oreilles.
FANTASIO. — Non pas à mes oreilles, mais à ma langue. Vous vous 605 trompez de sens ; il y a une erreur de sens dans vos paroles.
ELSBETH. — Ne me fais pas de calembour, si tu veux gagner ton argent ! et ne me compare pas à des tulipes, si tu ne veux gagner autre chose.
FANTASIO. — Qui sait ? Un calembour console de bien des chagrins ; 610

---

1. Sous la forme d'un artichaut : voir la ligne 594.

● **La discussion sur les fleurs : source** — Jean-Paul, sans doute, a inspiré Musset : « L'âme d'une jeune fille ressemble à une rose épanouie : arrachez à cette rose épanouie une seule feuille de son calice, toutes les autres tombent aussitôt » (*Pensées de Jean-Paul*, citée par Musset, (*op. cit.*, p. 896).

● **La signification de cette discussion** — « Le sens de tout cela, c'est qu'Elsbeth, dont la noblesse instinctive répugnerait à un mariage stupide, est toute prête à s'y résigner par égard pour les bienséances; Elsbeth dégénère, déroge à sa nature » (Merlant, *Alfred de Musset*, Morceaux choisis, p. 211, n. 1).
« Nul ne peut connaître sa nature vraie tant qu'il est encadré par le social, qui impose de soi, des autres et des choses une idée *a priori*; seule l'absolue liberté des mouvements permet de vivre selon sa nature, c'est-à-dire selon la nature et sa vérité. Tel est le sens de la tirade sur les fleurs bleues et rouges » (Ph. Van Tieghem, *l'Évolution du théâtre de Musset*, p. 270).

① Dégagez le sens général des deux répliques (l. 579-598). Elsbeth ne donne-t-elle pas finalement raison à Fantasio?

② Étudiez, dans ces répliques, le développement des images. Sont-elles toujours cohérentes?

Bibl. de la Comédie Française.

Décor de Dresa
pour la Comédie-Française (1925)
ELSBETH (Marie Bell) en conversation avec la GOUVERNANTE (Catherine Fonteney) pendant que FANTASIO (Pierre Fresnay) fait un bouquet.

et jouer avec les mots est un moyen comme un autre de jouer avec les pensées, les actions et les êtres. Tout est calembour ici-bas, et il est aussi difficile de comprendre le regard d'un enfant de quatre ans que le galimatias de trois drames modernes [1].

ELSBETH. — Tu me fais l'effet de regarder le monde à travers un prisme tant soit peu changeant.

FANTASIO. — Chacun a ses lunettes; mais personne ne sait au juste de quelle couleur en sont les verres. Qui est-ce qui pourra me dire au juste si je suis heureux ou malheureux, bon ou mauvais, triste ou gai, bête ou spirituel?

ELSBETH. — Tu es laid, du moins; c'est certain.

FANTASIO. — Pas plus certain que votre beauté. Voilà votre père qui vient avec votre futur mari. Qui est-ce qui peut savoir si vous l'épouserez? (*Il sort.*)

ELSBETH. — Puisque je ne puis éviter la rencontre du prince de Mantoue, je ferai aussi bien d'aller au-devant de lui. (*Entrent le roi, Marinoni sous le costume de prince, et le prince vêtu en aide de camp.*)

LE ROI. — Prince, voici ma fille. Pardonnez-lui cette toilette de jardinière; vous êtes ici chez un bourgeois qui en gouverne d'autres, et notre étiquette est aussi indulgente pour nous-mêmes que pour eux.

MARINONI. — Permettez-moi de baiser cette main charmante, madame, si ce n'est pas une trop grande faveur pour mes lèvres.

LA PRINCESSE. — Votre Altesse m'excusera si je rentre au palais. Je la verrai, je pense, d'une manière plus convenable à la présentation de ce soir. (*Elle sort.*)

LE PRINCE. — La princesse a raison; voilà une divine pudeur.

LE ROI, *à Marinoni.* — Quel est donc cet aide de camp qui vous suit comme votre ombre? Il m'est insupportable de l'entendre ajouter une remarque inepte à tout ce que nous disons. Renvoyez-le, je vous en prie. (*Marinoni parle bas au prince.*)

LE PRINCE, *de même.* — C'est fort adroit de ta part de lui avoir persuadé de m'éloigner; je vais tâcher de joindre la princesse et de lui toucher quelques mots délicats sans faire semblant de rien. (*Il sort.*)

LE ROI. — Cet aide de camp est un imbécile, mon ami; que pouvez-vous faire de cet homme-là?

MARINONI. — Hum! hum! Poussons quelques pas plus avant, si Votre Majesté le permet; je crois apercevoir un kiosque tout à fait charmant dans ce bocage. (*Ils sortent.*)

---

1. Cf. *Une soirée perdue* (1840) :

> Grâce à Dieu nos auteurs ont changé de méthode,
> Et nous aimons bien mieux quelque drame à la mode
> Où l'intrigue, enlacée et roulée en feston,
> Tourne comme un rébus autour d'un mirliton.

● **L'éloge du calembour** (l. 610-615)

① Montrez l'importance philosophique et la valeur moderne de cette déclaration.

● **La dernière réplique de Fantasio** (l. 623-625) — J. Merlant (*op. cit.*, p. 212, n. 4) propose deux sens : « Ma laideur est douteuse, comme toutes choses et comme votre beauté même » ; ou bien : « Oui, je suis laid, non moins certainement que vous êtes belle. »

② Quelle interprétation choisissez-vous ? Pourquoi ?

● **Variante de 1866** — Dans la version pour la scène, après le départ de Fantasio, Elsbeth reste seule et exprime un sentiment qu'Alfred de Musset, lui, nous laisse le soin de deviner :
« ELSBETH, *seule.* — Ce fou m'intéresse ; son esprit m'amuse. Il se moque de moi ; mais il me plaint, et sous son ironie je sens un cœur ami... C'est fort heureux qu'il soit vieux et laid. Je l'aimerai peut-être comme j'aimais mon vieux Saint-Jean. »

③ Approuvez-vous Paul de Musset d'avoir ajouté ces mots ?

● **Le mouvement de la scène dans son ensemble** — La description de Saint-Jean (l. 497 et suiv.), que Fantasio a entendue, lui indique la voie à suivre. Après s'être présenté avec humour, il se heurte à l'amertume d'Elsbeth et attaque avec un mot cynique (l. 565). Remis à sa place et soucieux de ne pas blesser inutilement la princesse, il passe de l'image ironique à l'image lyrique (la tulipe, l. 569). Dès lors, le dialogue se poursuit sur le même thème secret (le mariage), mais sur un ton plus apaisé, sous forme d'allusion, à l'aide d'images gracieuses, de comparaisons. Elsbeth joue le jeu avec un esprit, une fierté, une finesse psychologique qui obligent Fantasio à justifier le rôle du calembour (l. 610-615) par lequel l'esprit prouve son indépendance.

④ Précisez les étapes de la scène (II,1) en soulignant ses articulations. Notez les points marqués dans cette joute subtile par les deux interlocuteurs. Ne pensez-vous pas qu'ils peuvent s'entendre, malgré leur opposition ?

⑤ D'où vient le charme de cette conversation ? Comment fait-elle avancer l'action ? Quel est l'intérêt de la réplique finale (l. 623-625) ?

● **La première entrevue entre le Prince et Elsbeth** — Quelle différence entre les deux tableaux ! Comme une seule réplique permet de juger un imbécile ! Pourquoi la réplique du Prince (l. 639) est-elle inepte ?

⑥ Relevez les détails qui permettent d'imaginer la toilette d'Elsbeth. Comment est-elle en accord avec le décor ? Appréciez l'habileté d'Elsbeth à s'esquiver.

● **L'actualité** — Pour conquérir la bourgeoisie, le roi Louis-Philippe vivait très simplement (cf. Jules Bertaut, *le Roi bourgeois*, 1936) : *un grand roi, quoique trop sans façon* (l. 655). Au contraire, le roi des Belges imposait à sa Cour une lourde étiquette dont se moquaient les journaux comme *la Caricature.*

SCÈNE II. — *Une autre partie du jardin. Entre* LE PRINCE.

LE PRINCE. — Mon déguisement me réussit à merveille; j'observe et je me fais aimer. Jusqu'ici tout va au gré de mes souhaits; le père me paraît un grand roi, quoique trop sans façon, et je m'étonnerais si je ne lui avais plu tout d'abord. J'aperçois la princesse qui rentre au palais; le hasard me favorise singulièrement. (*Elsbeth entre ; le prince l'aborde.*) Altesse, permettez à un fidèle serviteur de votre futur époux de vous offrir les félicitations sincères que son cœur humble et dévoué ne peut contenir en vous voyant. Heureux les grands de la terre! ils peuvent vous épouser, moi je ne le puis pas; cela m'est tout à fait impossible; je suis d'une naissance obscure; je n'ai pour tout bien qu'un nom redoutable à l'ennemi — un cœur pur et sans tache bat sous ce modeste uniforme — je suis un pauvre soldat criblé de balles des pieds à la tête — je n'ai pas un ducat [1] — je suis solitaire et exilé de ma terre natale comme de ma patrie céleste, c'est-à-dire du paradis de mes rêves; je n'ai pas un cœur de femme à presser sur mon cœur; je suis maudit et silencieux. 65 66 66

ELSBETH. — Que me voulez-vous, mon cher monsieur? Êtes-vous fou, ou demandez-vous l'aumône? 67

LE PRINCE. — Qu'il serait difficile de trouver des paroles pour exprimer ce que j'éprouve ! Je vous ai vue passer toute seule dans cette allée; j'ai cru qu'il était de mon devoir de me jeter à vos pieds et de vous offrir ma compagnie jusqu'à la poterne [2]. 67

ELSBETH. — Je vous suis obligée — rendez-moi le service de me laisser tranquille. (*Elle sort.*)

LE PRINCE, *seul.* — Aurais-je eu tort de l'aborder? — Il le fallait cependant, puisque j'ai le projet de la séduire sous mon habit supposé [3]. Oui, j'ai bien fait de l'aborder. — Cependant elle m'a répondu d'une manière désagréable. — Je n'aurais peut-être pas dû lui parler si vivement. — Il le fallait pourtant bien, puisque son mariage est presque assuré, et que je suis censé devoir supplanter Marinoni, qui me remplace. — Mais la réponse est désagréable. — Aurait-elle un cœur dur et faux? Il serait bon de sonder adroitement la chose. (*Il sort.*) 68 68

SCÈNE III. — *Une antichambre.* FANTASIO, *couché sur un tapis.*

Quel métier délicieux que celui de bouffon ! J'étais gris, je crois, hier soir, lorsque j'ai pris ce costume et que je me suis présenté

1. Monnaie d'or valant de dix à douze francs Germinal. — 2. Porte qui ferme une galeri communiquant avec l'extérieur d'un château. Pourquoi ce détail est-il ridicule? — 3. *Supposé :* « Allé gué comme vrai, en parlant de quelque chose de faux » (Littré). Peu usité dans ce sens aujourd'hui

au palais; mais, en vérité, jamais la saine raison ne m'a rien inspiré qui valût cet acte de folie. J'arrive, et me voilà reçu, choyé, enregistré, et, ce qu'il y a de mieux encore, oublié. Je vais et viens dans ce palais comme si je l'avais habité toute ma vie. Tout à l'heure j'ai rencontré le roi; il n'a pas même eu la curiosité de me regarder; son bouffon étant mort, on lui a dit : « Sire, en voilà un autre. » C'est admirable ! Dieu merci, voilà ma cervelle à l'aise, je puis faire toutes les balivernes [1] possibles sans qu'on me dise rien pour m'en empêcher; je suis un des animaux domestiques [2] du roi de Bavière, et si je veux, tant

690

695

1. Discours frivoles. L'expression «faire» *des balivernes* est donc peu correcte. — 2. A l'époque classique, un domestique était « une personne attachée à la maison d'un roi ou d'un noble ». Fantasio joue sur le terme.

- **La psychologie du parfait imbécile** — Dans cette scène (II, 2), comme dans celles où apparaît le Prince, on analysera avec précision les principaux traits qui caractérisent l'imbécile. Ici : la parfaite satisfaction de l'homme qui croit que tout lui est dû et que tout lui réussit, alors qu'on se moque de sa nullité ; les fausses interprétations des paroles d'autrui ; l'indécision.

  ① Pourquoi le Prince prend-il le Roi pour *un grand roi* (l. 655) ? N'est-ce pas un moyen de se rehausser lui-même ?

  ② Pourquoi la question finale (l. 685) est-elle particulièrement sotte et rend-elle le Prince antipathique ?

- **Le style de l'imbécile** — Le Prince est un imbécile qui a fait des études de rhétorique et en applique ici scolairement les procédés : phrases ronflantes, mais d'une pensée très banale, exclamations, interjections oratoires, énumérations, antithèses, hyperboles, clichés, abondance des adjectifs, etc. La tirade (l. 658-669) appartient au genre oratoire : adresse, compliment, déclaration ; le monologue (l. 678-686) au style délibératif.

  ③ Relevez des exemples de ces divers procédés. Pourquoi la précipitation des questions est-elle comique ? Souvenez-vous de la manière dont Bergson définit le personnage comique : « du mécanique plaqué sur du vivant ».

- **Parodie et souvenirs littéraires** — Par cette parodie des procédés de la rhétorique, Musset, qui a lu ses classiques, renouvelle une tradition littéraire. Il se souvient peut-être du monologue délibératif où Gargantua se demande s'il rira ou pleurera ; probablement de la déclaration de Thomas Diafoirus dans *le Malade imaginaire* (II, 5, *U.L.B.*, l. 953 et suiv.) ; et il se moque sûrement des monologues romantiques (voir *Hernani*, III, 4).

  ④ Relevez les principaux traits du héros romantique auquel le Prince se compare : sens de la fatalité, solitude dans l'exil, courage, pureté, grands rêves vagues, amour impossible.

  ⑤ Musset ne se parodie-t-il pas lui-même (cf. *la Coupe et les Lèvres*) ?

que je garderai ma bosse et ma perruque, on me laissera vivre jusqu'à ma mort entre un épagneul et une pintade. En attendant, mes créanciers peuvent se casser le nez contre ma porte tout à leur aise. Je suis aussi bien en sûreté ici, sous cette perruque, que dans les Indes occidentales [1]. 700
N'est-ce pas la princesse que j'aperçois dans la chambre voisine, à travers cette glace [2]? Elle rajuste son voile de noces; deux longues larmes coulent sur ses joues; en voilà une qui se détache comme une perle et qui tombe sur sa poitrine. Pauvre petite! j'ai entendu ce matin sa conversation avec sa gouvernante; en vérité, c'était par hasard; j'étais assis sur le gazon sans autre dessein que celui de dormir. Maintenant la voilà qui pleure et qui ne se doute guère que je la vois encore. Ah! si j'étais un écolier de rhétorique, comme je réfléchirais profondément sur cette misère couronnée, sur cette pauvre brebis à qui on met un ruban rose au cou pour la mener à la boucherie! Cette petite fille est sans doute romanesque; il lui est cruel d'épouser un homme qu'elle ne connaît pas. Cependant elle se sacrifie en silence. Que le hasard est capricieux! Il faut que je me grise, que je rencontre l'enterrement de Saint-Jean, que je prenne son costume et sa place, que je fasse enfin la plus grande folie de la terre, pour venir voir tomber, à travers cette glace, les deux seules larmes que cette enfant versera peut-être sur son triste voile [3] de fiancée! (*Il sort.*) 705 710 715 720

SCÈNE IV. — *Une allée du jardin.* LE PRINCE, MARINONI.

LE PRINCE. — Tu n'es qu'un sot, colonel.
MARINONI. — Votre Altesse se trompe sur mon compte de la manière la plus pénible. 725
LE PRINCE. — Tu es un maître butor [4]. Ne pouvais-tu pas empêcher cela? Je te confie le plus grand projet qui se soit enfanté depuis une suite d'années incalculable, et toi, mon meilleur ami, mon plus fidèle serviteur, tu entasses bêtises sur bêtises. Non, non, tu as beau dire, cela n'est point pardonnable. 730
MARINONI. — Comment pouvais-je empêcher Votre Altesse de s'attirer les désagréments qui sont la suite nécessaire du rôle supposé qu'elle joue? Vous m'ordonnez de prendre votre nom et de me comporter en véritable prince de Mantoue. Puis-je

1. Nom donné d'abord à l'Amérique. — 2. Une *glace* sans tain. — 3. Hypallage (figure de style qui attribue à un mot ce qui convient à un autre). Fantasio ironise sur la *rhétorique* (l. 712), mais la connaît. — 4. Oiseau de proie dressé pour la chasse; puis homme stupide, grossier, maladroit.

empêcher le roi de Bavière de faire un affront à mon aide de camp? Vous aviez tort de vous mêler de nos affaires. 735

LE PRINCE. — Je voudrais bien qu'un maraud [1] comme toi se mêlât de me donner des ordres.

MARINONI. — Considérez, Altesse, qu'il faut cependant que je sois le prince ou que je sois l'aide de camp. C'est par votre ordre que j'agis. 740

LE PRINCE. — Me dire que je suis un impertinent en présence de toute la Cour, parce que j'ai voulu baiser la main de la princesse! Je suis prêt à lui déclarer la guerre, et à retourner dans mes États pour me mettre à la tête de mes armées [2]. 745

MARINONI. — Songez donc, Altesse, que ce mauvais compliment s'adressait à l'aide de camp et non au prince. Prétendez-vous qu'on vous respecte sous ce déguisement?

LE PRINCE. — Il suffit. Rends-moi mon habit.

MARINONI, *ôtant l'habit.* — Si mon souverain l'exige, je suis prêt à mourir pour lui. 750

LE PRINCE. — En vérité, je ne sais que résoudre. D'un côté, je suis

---

1. Le terme sent son XVIIe siècle. — 2. On appréciera ce pluriel.

● **Le monologue de Fantasio** (II, 3) — Anatole France a écrit (*Le Jardin d'Épicure*, p. 94) : « L'Ironie et la Pitié sont deux bonnes conseillères. » Le monologue illustre ce jugement. L'ironie de Fantasio s'exerce à l'égard des grands, des riches et un peu de lui-même. La pitié pour autrui lui succède, sans chasser complètement l'ironie.

① Analysez ce monologue, sa composition, les sentiments et le ton avec lequel Fantasio parle de la princesse. Pourquoi attribue-t-il une telle importance au hasard ? Ne l'a-t-il pas aidé, ne l'aidera-t-il pas encore ? Quel est le rôle de ce monologue dans l'action ?

● **La poésie des larmes** (l. 706 et 721) — Les poètes romantiques recueillent précieusement les larmes. Vigny a fait un ange d'une larme du Christ dans *Éloa*. Musset écrira, dans son *Impromptu sur la poésie*, en 1839 :

Faire une perle d'une larme,
Du poète ici-bas voilà la passion,
Voilà son bien, sa vie, et son ambition.

● **La scène 4** — Dans cette scène, Musset utilise les mêmes procédés de comique que précédemment et en découvre de nouveaux, par exemple le passage d'un pronom à un autre.

② Donnez des exemples.

③ Quels nouveaux aspects du Prince nous révèle cette scène ? « Un sot n'a pas assez d'étoffe pour être bon » (La Rochefoucauld). Appréciez la manière dont Marinoni se défend.

---

furieux de ce qui m'arrive, et d'un autre je suis désolé de renoncer à mon projet. La princesse ne paraît pas répondre indifféremment aux mots à double entente dont je ne cesse de la poursuivre. Déjà je suis parvenu deux ou trois fois à lui dire à l'oreille des choses incroyables [1]. Viens, réfléchissons à tout cela. 755

MARINONI, *tenant l'habit.* — Que ferai-je, Altesse?

LE PRINCE. — Remets-le, remets-le, et retournons au palais. (*Ils sortent.*) 760

SCÈNE V. — LA PRINCESSE ELSBETH, LE ROI.

LE ROI. — Ma fille, il faut répondre franchement à ce que je vous demande : ce mariage vous déplaît-il?

ELSBETH. — C'est à vous, Sire, de répondre vous-même. Il me plaît, s'il vous plaît; il me déplaît, s'il vous déplaît.

LE ROI. — Le prince m'a paru être un homme ordinaire, dont il est difficile de rien dire. La sottise de son aide de camp lui fait seule tort dans mon esprit; quant à lui, c'est peut-être un prince, mais ce n'est pas un homme élevé. Il n'y a rien en lui qui me repousse ou qui m'attire. Que puis-je te dire là-dessus? Le cœur des femmes a des secrets que je ne puis connaître; elles se font des héros parfois si étranges, elles saisissent si singulièrement un ou deux côtés d'un homme qu'on leur présente, qu'il est impossible de juger pour elles, tant qu'on n'est pas guidé par quelque point tout à fait sensible. Dis-moi donc clairement ce que tu penses de ton fiancé. 765 770 775

ELSBETH. — Je pense qu'il est prince de Mantoue, et que la guerre recommencera demain entre lui et vous, si je ne l'épouse pas.

LE ROI. — Cela est certain, mon enfant.

ELSBETH. — Je pense donc que je l'épouserai, et que la guerre sera finie. 780

LE ROI. — Que les bénédictions de mon peuple te rendent grâces pour ton père! O ma fille chérie! je serai heureux de cette alliance; mais je ne voudrais pas voir dans ces beaux yeux bleus cette tristesse qui dément leur résignation. Réfléchis encore quelques jours. (*Il sort. — Entre Fantasio.*) 785

[sc. 10]

ELSBETH. — Te voilà, pauvre garçon ! comment te plais-tu ici?

FANTASIO. — Comme un oiseau en liberté.

ELSBETH. — Tu aurais mieux répondu, si tu avais dit comme un

1. Le Prince se vante.

oiseau en cage. Ce palais en est une assez belle ; cependant c'en est une. 790

ANTASIO. — La dimension d'un palais ou d'une chambre ne fait pas l'homme plus ou moins libre. Le corps se remue où il peut ; l'imagination ouvre quelquefois des ailes grandes comme le ciel dans un cachot grand comme la main.

LSBETH. — Ainsi donc, tu es un heureux fou ? 795

ANTASIO. — Très heureux. Je fais la conversation avec les petits chiens et les marmitons. Il y a un roquet pas plus haut que cela dans la cuisine, qui m'a dit des choses charmantes.

LSBETH. — En quel langage ?

ANTASIO. — Dans le style le plus pur. Il ne ferait pas une seule faute de grammaire dans l'espace d'une année. 800

LSBETH. — Pourrai-je entendre quelques mots de ce style ?

ANTASIO. — En vérité, je ne le voudrais pas ; c'est une langue qui est particulière. Il n'y a pas que les roquets qui la parlent ; les arbres et les grains de blé eux-mêmes la savent aussi ; mais les filles de roi ne la savent pas. A quand votre noce ? 805

LSBETH. — Dans quelques jours, tout sera fini.

ANTASIO. — C'est-à-dire tout sera commencé. Je compte vous offrir un présent de ma main.

LSBETH. — Quel présent ? Je suis curieuse de cela. 810

ANTASIO. — Je compte vous offrir un joli petit serin empaillé, qui chante comme un rossignol.

● **Le Roi et sa fille** — Dans sa rapidité, la scène ne va pas sans un pathétique discret. Le ROI est un fin psychologue, un père affectueux. Il fait appel à la franchise de sa fille (l. 761), mais se réjouit trop vite (l. 781) d'une acceptation sur laquelle il compte bien. N'y a-t-il pas en lui quelque « mauvaise foi » ?

① Que pense-t-il des femmes ? Quelle influence ce jugement a-t-il sur sa conduite à l'égard de sa fille ?

Ph. Van Tieghem (*op. cit.*, p. 86) voit ELSBETH « fine, délicate, mesurée, fière sans hauteur, obéissante sans faiblesse, baissant la tête devant le destin, mais gardant pour lui un sourire de pitié... »

② Appréciez l'habile délicatesse de ses réponses.

● **Seconde entrevue entre Elsbeth et Fantasio** — Un léger voile de tristesse pèse sur le début de l'entretien. Il est question d'un palais qui est une cage, de la consolation qu'apporte l'imagination. Elsbeth s'adresse à Fantasio avec moins de brusquerie (l. 786). Et Fantasio ramène la conversation sur un sujet (l. 806) qu'elle voudrait éviter : voir la ligne 835.

③ Les idées que Fantasio exprime sur l'imagination (l. 793 et suiv.) conviennent-elles à son tempérament ?

④ Relevez les signes de la tristesse d'Elsbeth.

ELSBETH. — Comment peut-il chanter, s'il est empaillé?

FANTASIO. — Il chante parfaitement.

ELSBETH. — En vérité, tu te moques de moi avec un rare acharnement.

FANTASIO. — Point du tout. Mon serin a une petite serinette [1] dans le ventre. On pousse tout doucement un petit ressort sous la patte gauche, et il chante tous les opéras nouveaux, exactement comme Mlle Grisi [2].

ELSBETH. — C'est une invention de ton esprit, sans doute?

FANTASIO. — En aucune façon. C'est un serin de Cour; il y a beaucoup de petites filles très bien élevées qui n'ont pas d'autres procédés que celui-là. Elles ont un petit ressort sous le bras gauche, un joli petit ressort en diamant fin, comme la montre d'un petit-maître [3]. Le gouverneur ou la gouvernante fait jouer le ressort, et vous voyez aussitôt les lèvres s'ouvrir avec le sourire le plus gracieux, une charmante cascatelle [4] de paroles mielleuses sort avec le plus doux murmure, et toutes les convenances sociales, pareilles à des nymphes légères, se mettent aussitôt à dansoter sur la pointe du pied autour de la fontaine merveilleuse. Le prétendu ouvre des yeux ébahis; l'assistance chuchote avec indulgence, et le père, rempli d'un secret contentement, regarde avec orgueil les boucles d'or de ses souliers.

ELSBETH. — Tu parais revenir volontiers sur de certains sujets. Dis-moi, bouffon, que t'ont donc fait ces pauvres jeunes filles, pour que tu en fasses si gaiement la satire? Le respect d'aucun devoir ne peut-il trouver grâce devant toi?

FANTASIO. — Je respecte fort la laideur; c'est pourquoi je me respecte moi-même si profondément.

ELSBETH. — Tu parais quelquefois en savoir plus que tu n'en dis. D'où viens-tu donc, et qui es-tu, pour que, depuis un jour que tu es ici, tu saches déjà pénétrer des mystères que les princes eux-mêmes ne soupçonneront jamais? Est-ce à moi que s'adressent tes folies, ou est-ce au hasard que tu parles?

FANTASIO. — C'est au hasard; je parle beaucoup au hasard : c'est mon plus cher confident.

ELSBETH. — Il semble en effet t'avoir appris ce que tu ne devrais pas connaître. Je croirais volontiers que tu épies mes actions et mes paroles.

FANTASIO. — Dieu le sait. Que vous importe?

ELSBETH. — Plus que tu ne peux penser. Tantôt dans cette chambre, pendant que je mettais mon voile, j'ai entendu marcher tout

---

1. « Espèce de petit orgue renfermé dans une boîte dont on se sert pour apprendre des air aux serins » (Littré). — 2. Célèbre cantatrice italienne (1811-1869). — 3. « Jeune homm qui a de la recherche dans sa parure » (Littré). Le terme sent son XVIIIe siècle. — 4 Petite cascade; un autre diminutif, *dansoter* (l. 831) accompagne celui-ci.

à coup derrière la tapisserie. Je me trompe fort si ce n'était toi qui marchais. 855

FANTASIO. — Soyez sûre que cela reste entre votre mouchoir[1] et moi. Je ne suis pas plus indiscret que je ne suis curieux. Quel plaisir pourraient me faire vos chagrins? quel chagrin pourraient me faire vos plaisirs? Vous êtes ceci, et moi cela. Vous êtes jeune, et moi je suis vieux; belle, et je suis laid; riche, et je suis pauvre. 860 Vous voyez bien qu'il n'y a aucun rapport entre nous. Que vous importe que le hasard ait croisé sur sa grande route deux roues qui ne suivent pas la même ornière, et qui ne peuvent marquer sur la même poussière? Est-ce ma faute s'il m'est tombé, tandis que je dormais, une de vos larmes sur la joue? 865

ELSBETH. — Tu me parles sous la forme d'un homme que j'ai aimé, voilà pourquoi je t'écoute malgré moi. Mes yeux croient voir Saint-Jean; mais peut-être n'es-tu qu'un espion?

FANTASIO. — A quoi cela me servirait-il? Quand il serait vrai que votre mariage vous coûterait quelques larmes, et quand je 870 l'aurais appris par hasard, qu'est-ce que je gagnerais à l'aller raconter? On ne me donnerait pas une pistole[2] pour cela, et

1. Le *voile* (L. 853). — 2. Monnaie de compte encore au XIXe siècle : dix francs.

* **La serinette** — Fantasio a recours à une image mi-ironique, mi-lyrique (l. 822 et suiv.) qui rappelle celle de la tulipe et qu'il charge d'exprimer symboliquement sa pensée. Elle lui vient sans doute de Jean-Paul qui compare la femme à un serin apprivoisé (cf. Lafoscade, *op. cit.*, p. 116) ; mais Musset avait pu lire, dans *le Rêve de d'Alembert*, paru en 1830 : « Et quelle autre différence trouvez-vous entre le serin et la serinette ? » (Diderot, *Œuvres*, Pléiade, p. 910).

  ① Suivez le développement de l'image et précisez-en la signification. Comparez-la avec celle de la tulipe. Relevez les autres images qui émaillent les propos de Fantasio.

* **Fantasio et le hasard** — Si Fantasio parle souvent du hasard (l. 846), c'est que celui-ci apporte au sceptique un explication commode de l'univers, et que le hasard contient en lui-même un élément de jeu.

* **Le déroulement de la scène** (II, 5) — La scène, moins vive que l'autre (II, 1), se déroule sur le même rythme. D'abord quelques passes d'armes ; une image amusante (la serinette) provoque une prise de position plus ferme (le devoir) chez Elsbeth. Fantasio se dérobe ; alors elle essaie de faire tomber son masque. Viennent les aveux réciproques : elle l'avait entendu, il l'a vue pleurer. Elle avoue sa sympathie. Enfin! Mais Fantasio se dérobe une seconde fois.

  ② Analysez les différents moments de la scène ; le ton et les sentiments des deux interlocuteurs. Fantasio est-il aussi indifférent qu'il le dit? Pourquoi ne veut-il pas manifester sa sympathie ?

on ne vous mettrait pas au cabinet noir. Je comprends très bien qu'il doit être assez ennuyeux d'épouser le prince de Mantoue; mais, après tout, ce n'est pas moi qui en suis chargé. Demain ou après-demain vous serez partie pour Mantoue avec votre robe de noces, et moi je serai encore sur ce tabouret avec mes vieilles chausses [1]. Pourquoi voulez-vous que je vous en veuille? je n'ai pas de raison pour désirer votre mort; vous ne m'avez jamais prêté d'argent. 875 880

ELSBETH. — Mais si le hasard t'a fait voir ce que je veux qu'on ignore, ne dois-je pas te mettre à la porte, de peur de nouvel accident?

FANTASIO. — Avez-vous le dessein de me comparer à un confident de tragédie, et craignez-vous que je ne suive votre ombre en déclamant? Ne me chassez pas, je vous en prie. Je m'amuse beaucoup ici. Tenez, voilà votre gouvernante qui arrive avec des mystères plein ses poches. La preuve que je ne l'écouterai pas, c'est que je m'en vais à l'office manger une aile de pluvier [2] que le majordome a mise de côté pour sa femme. (*Il sort* [3].) 885 890

LA GOUVERNANTE, *entrant.* — Savez-vous une chose terrible, ma chère Elsbeth?

[SC. II]

ELSBETH. — Que veux-tu dire? tu es toute tremblante.

LA GOUVERNANTE. — Le prince n'est pas le prince, ni l'aide de camp non plus. C'est un vrai conte de fées. 895

ELSBETH. — Quel imbroglio [4] me fais-tu là?

LA GOUVERNANTE. — Chut! chut! C'est un des officiers du prince lui-même qui vient de me le dire. Le prince de Mantoue est un véritable Almaviva [5]; il est déguisé et caché parmi les aides de camp; il a voulu sans doute chercher à vous voir et à vous connaître d'une manière féerique. Il est déguisé, le digne seigneur, il est déguisé comme Lindor [5]; celui qu'on vous a présenté comme votre futur époux n'est qu'un aide de camp nommé Marinoni. 900

ELSBETH. — Cela n'est pas possible! 905

LA GOUVERNANTE. — Cela est certain, certain mille fois. Le digne homme est déguisé; il est impossible de le reconnaître; c'est une chose extraordinaire.

ELSBETH. — Tu tiens cela, dis-tu, d'un officier?

---

1. Sortes de culottes qui avaient un prolongement dit bas-de-chausses (les *bas*). — 2. Échassier, gibier estimé. Dans *le Secrétaire intime* de George Sand (p. 155), le page Galeotto réclame « une perdrix froide aux citrons ». — 3. C'est ici que Paul de Musset avait placé la tirade du *coup de l'étrier*. — 4. Embrouillement, confusion. Le mot désigne, au théâtre, une pièce à l'intrigue compliquée. — 5. Dans *le Barbier de Séville*, le comte Almaviva prend le nom de *Lindor* pour séduire Rosine, la pupille de Bartholo.

LA GOUVERNANTE. — D'un officier du prince. Vous pouvez le lui demander à lui-même. 910

ELSBETH. — Et il ne t'a pas montré parmi les aides de camp le véritable prince de Mantoue?

LA GOUVERNANTE. — Figurez-vous qu'il en tremblait lui-même, le pauvre homme, de ce qu'il me disait. Il ne m'a confié son secret 915 que parce qu'il désire vous être agréable, et qu'il savait que je vous préviendrais. Quant à Marinoni, cela est positif; mais, pour ce qui est du prince véritable, il ne me l'a pas montré.

ELSBETH. — Cela me donnerait quelque chose à penser, si c'était vrai. Viens; amène-moi cet officier. (*Entre un page.*) 920

LA GOUVERNANTE. — Qu'y a-t-il, Flamel? Tu parais hors d'haleine.

LE PAGE. — Ah ! madame ! c'est une chose à en mourir de rire. Je n'ose parler devant Votre Altesse.

ELSBETH. — Parle : qu'y a-t-il encore de nouveau?

LE PAGE. — Au moment où le prince de Mantoue entrait à cheval 925 dans la cour, à la tête de son état-major, sa perruque s'est enlevée dans les airs, et a disparu tout à coup.

ELSBETH. — Pourquoi cela? Quelle niaiserie !

LE PAGE. — Madame, je veux mourir si ce n'est pas la vérité. La perruque s'est enlevée en l'air au bout d'un hameçon. Nous 930 l'avons retrouvée dans l'office, à côté d'une bouteille cassée; on ignore qui a fait cette plaisanterie. Mais le duc n'en est pas moins furieux, et il a juré que si l'auteur n'en est pas puni de mort, il déclarera la guerre au roi votre père et mettra tout à feu et à sang. 935

ELSBETH. — Viens écouter toute cette histoire, ma chère. Mon sérieux commence à m'abandonner. (*Entre un autre page.*)

ELSBETH. — Eh bien ! quelle nouvelle?

LE PAGE. — Madame, le bouffon du roi est en prison : c'est lui qui a enlevé la perruque du prince. 940

ELSBETH. — Le bouffon est en prison? et sur l'ordre du prince?

LE PAGE. — Oui, Altesse.

ELSBETH. — Viens, chère mère, il faut que je parle. (*Elle sort avec sa gouvernante.*)

● **Trois coups de théâtre** — L'action n'avançait guère dans ces longues conversations. Elle va maintenant à pas de géant. Trois tableaux rapides changent la face des choses.

① Appréciez la valeur dramatique de ces scènes, leur effet de surprise, qui fait rebondir l'intérêt, leur vraisemblance. Ne faut-il pas admettre un sérieux raccourci de temps ?

② Étudiez l'attitude d'Elsbeth. Pourquoi vérifie-t-elle soigneusement (l. 909) le récit de la Gouvernante? Que commence-t-elle à *penser* (l. 919) ? Comment interprétez-vous la dernière réplique (l. 943) ?

③ Étudiez les effets de style, en particulier chez la Gouvernante.

Scène VI. — LE PRINCE, MARINONI.

LE PRINCE. — Non, non, laisse-moi me démasquer. Il est temps que j'éclate. Cela ne se passera pas ainsi. Feu et sang ! une perruque royale au bout d'un hameçon ! Sommes-nous chez les barbares, dans les déserts de la Sibérie? Y a-t-il encore sous le soleil quelque chose de civilisé et de convenable? J'écume de colère, et les yeux me sortent de la tête. 950

MARINONI. — Vous perdez tout par cette violence.

LE PRINCE. — Et ce père, ce roi de Bavière, ce monarque vanté dans tous les almanachs [1] de l'année passée ! cet homme qui a un extérieur si décent, qui s'exprime en termes si mesurés, et qui se met à rire en voyant la perruque de son gendre voler dans les airs ! Car enfin, Marinoni, je conviens que c'est ta perruque qui a été enlevée; mais n'est-ce pas toujours celle du prince de Mantoue, puisque c'est lui que l'on croit voir en toi? Quand je pense que si c'eût été moi, en chair et en os, ma perruque aurait peut-être... Ah ! il y a une providence; lorsque Dieu m'a envoyé tout d'un coup l'idée de me travestir; lorsque cet éclair a traversé ma pensée : « Il faut que je me travestisse », ce fatal événement était prévu par le destin. C'est lui qui a sauvé de l'affront le plus intolérable la tête qui gouverne mes peuples. Mais, par le ciel ! tout sera connu. C'est trop longtemps trahir ma dignité. Puisque les majestés divines et humaines sont impitoyablement violées et lacérées, puisqu'il n'y a plus chez les hommes de notions du bien et du mal, puisque le roi de plusieurs milliers d'hommes éclate de rire comme un palefrenier à la vue d'une perruque, Marinoni, rends-moi mon habit. 970

MARINONI, *ôtant l'habit.* — Si mon souverain le commande, je suis prêt à souffrir pour lui mille tortures [2].

LE PRINCE. — Je connais ton dévouement. Viens, je vais dire au roi son fait en propres termes.

MARINONI. — Vous refusez la main de la princesse? elle vous a cependant lorgné d'une manière évidente pendant tout le dîner.

LE PRINCE. — Tu crois? Je me perds dans un abîme de perplexités. Viens toujours, allons chez le roi.

MARINONI, *tenant l'habit.* — Que faut-il faire, Altesse?

LE PRINCE. — Remets-le pour un instant [3]. Tu me le rendras tout à l'heure; ils seront bien plus pétrifiés, en m'entendant prendre le ton qui me convient, sous ce frac [4] de couleur foncée. (*Ils sortent.*)

1. Le Prince fait sans doute allusion à l'almanach de Gotha, célèbre annuaire généalogique des familles royales. Il a dû le consulter pour préparer son mariage. — 2. Voir une réplique analogue dans la scène 4 (l. 750). — 3. Voir la ligne 759. — 4. Voir p. 57, note 1.

SCÈNE VII. — *Une prison.* FANTASIO, *seul.*

Je ne sais s'il y a une providence [1], mais c'est amusant d'y croire. Voilà pourtant une pauvre petite princesse qui allait épouser à son corps défendant un animal immonde, un cuistre [2] de province, à qui le hasard a laissé tomber une couronne sur la tête, comme l'aigle d'Eschyle [3] sa tortue. Tout était préparé; les chandelles allumées, le prétendu poudré, la pauvre petite confessée. Elle avait essuyé les deux charmantes larmes que j'ai vu couler ce matin. Rien ne manquait que deux ou trois capucinades [4] pour que le malheur de sa vie fût en règle. Il y avait dans tout cela la fortune de deux royaumes, la tranquillité de deux peuples; et il faut que j'imagine de me déguiser en bossu, pour venir me griser derechef [5] dans l'office de notre bon roi, et pour pêcher au bout d'une ficelle la perruque de son cher allié ! En vérité, lorsque je suis gris, je crois que j'ai quelque chose de surhumain. Voilà le mariage manqué et tout remis en question. Le prince de Mantoue a demandé ma tête en échange de sa perruque. Le roi de Bavière a trouvé la peine un peu forte, et n'a consenti qu'à la prison. Le prince de Mantoue, grâce à Dieu, est si bête qu'il se ferait plutôt couper en morceaux que d'en démordre; ainsi la princesse reste fille, du moins pour cette fois. S'il n'y a pas là le sujet d'un poème épique en douze chants, je ne m'y connais pas. Pope [6] et Boileau [7] ont fait des vers admirables sur des sujets bien moins importants. Ah ! si j'étais poète, comme je peindrais la scène de cette perruque voltigeant dans les airs ! Mais celui qui est capable de

985 990 995 1000 1005

1. Voir la ligne 960. — 2. Valet de collège, pédant ridicule. — 3. D'après une tradition suspecte, Eschyle, le poète tragique grec, serait mort de la chute d'une *tortue* qu'un *aigle* aurait laissé tomber sur son crâne chauve. — 4. Plate tirade de morale ou de dévotion. Le mot (ayant pour radical *capucin*) sent l'esprit voltairien. — 5. De nouveau. Mot de la langue classique. — 6. Poète classique anglais (1688-1744), il a écrit *la Boucle de cheveux enlevée*. — 7. Allusion au *Lutrin*, poème héroï-comique consacré à la dispute d'un trésorier et d'un chantre de la Sainte-Chapelle.

● **Le grotesque outragé** — On analysera, dans cette scène (II, 6), la permanence de certains traits : l'imbécillité, la vanité, l'exagération, l'entêtement et l'indécision; et l'apparition d'effets nouveaux : l'invocation à la Providence (l. 960), la disproportion comique entre l'éloquence enflammée de toute la tirade et la chute dérisoire (l. 970).

① Donnez des exemples de ces traits comiques.

② Étudiez le style du Prince, la rigueur logique, l'ampleur de la phrase, le vocabulaire, les périphrases, la solennité des pluriels emphatiques.

faire de pareilles choses dédaigne de les écrire. Ainsi la postérité s'en passera. (*Il s'endort. — Entrent Elsbeth et sa gouvernante, une lampe à la main.*)

ELSBETH. — Il dort, ferme la porte doucement.

LA GOUVERNANTE. — Voyez; cela n'est pas douteux. Il a ôté sa perruque postiche, sa difformité a disparu en même temps; le voilà tel qu'il est, tel que ses peuples le voient sur son char de triomphe; c'est le noble prince de Mantoue.

ELSBETH. — Oui, c'est lui; voilà ma curiosité satisfaite; je voulais voir son visage, et rien de plus; laisse-moi me pencher sur lui. (*Elle prend la lampe.*) Psyché [1], prends garde à ta goutte d'huile.

LA GOUVERNANTE. — Il est beau comme un vrai Jésus.

ELSBETH. — Pourquoi m'as-tu donné à lire tant de romans et de contes de fées? Pourquoi as-tu semé dans ma pauvre pensée tant de fleurs étranges et mystérieuses?

LA GOUVERNANTE. — Comme vous voilà émue sur la pointe de vos petits pieds !

ELSBETH. — Il s'éveille; allons-nous-en.

FANTASIO, *s'éveillant.* — Est-ce un rêve? Je tiens le coin d'une robe blanche.

ELSBETH. — Lâchez-moi; laissez-moi partir.

FANTASIO. — C'est vous, princesse ! Si c'est la grâce du bouffon du roi que vous m'apportez si divinement, laissez-moi remettre ma bosse et ma perruque; ce sera fait dans un instant.

LA GOUVERNANTE. — Ah ! Prince, qu'il vous sied mal de nous tromper ainsi ! Ne reprenez pas ce costume; nous savons tout.

FANTASIO. — Prince ! où en voyez-vous un?

LA GOUVERNANTE. — A quoi sert-il de dissimuler?

FANTASIO. — Je ne dissimule pas le moins du monde; par quel hasard m'appelez-vous prince?

LA GOUVERNANTE. — Je connais mes devoirs envers Votre Altesse.

FANTASIO. — Madame, je vous supplie de m'expliquer les paroles de cette honnête dame. Y a-t-il réellement quelque méprise extravagante, ou suis-je l'objet d'une raillerie?

ELSBETH. — Pourquoi le demander, lorsque c'est vous-même qui raillez?

FANTASIO. — Suis-je donc un prince, par hasard? Concevrait-on quelque soupçon sur l'honneur de ma mère?

ELSBETH. — Qui êtes-vous, si vous n'êtes pas le prince de Mantoue?

FANTASIO. — Mon nom est Fantasio; je suis un bourgeois de Munich. (*Il lui montre une lettre.*)

ELSBETH. — Un bourgeois [2] de Munich! Et pourquoi êtes-vous déguisé? Que faites-vous ici?

---

1. Dans la légende grecque, *Psyché*, aimée d'un inconnu qui ne vient que la nuit, veut le voi et le réveille d'une *goutte d'huile* de sa lampe. L'Amour, une fois reconnu, s'enfuit. — 2. Enten dons : un citoyen honorable. Tout à l'heure, Fantasio se dira gentilhomme : ligne 1113

FANTASIO. — Madame, je vous supplie de me pardonner. (*Il se jette à genoux.*)

ELSBETH. — Que veut dire cela? Relevez-vous, homme, et sortez d'ici ! Je vous fais grâce d'une punition que vous mériteriez peut-être. Qui vous a poussé à cette action? 1055

FANTASIO. — Je ne puis dire le motif qui m'a conduit ici.

ELSBETH. — Vous ne pouvez le dire? et cependant je veux le savoir.

FANTASIO. — Excusez-moi, je n'ose l'avouer.

LA GOUVERNANTE. — Sortons, Elsbeth; ne vous exposez pas à entendre des discours indignes de vous. Cet homme est un voleur, ou un insolent qui va vous parler d'amour. 1060

ELSBETH. — Je veux savoir la raison qui vous a fait prendre ce costume.

FANTASIO. — Je vous supplie, épargnez-moi. 1065

ELSBETH. — Non, non ! parlez, ou je ferme cette porte sur vous pour dix ans.

FANTASIO. — Madame, je suis criblé de dettes; mes créanciers ont obtenu un arrêt contre moi; à l'heure où je vous parle, mes meubles sont vendus, et si je n'étais dans cette prison, je serais dans une autre. On a dû venir m'arrêter hier au soir; ne sachant où passer la nuit, ni comment me soustraire aux poursuites des huissiers, j'ai imaginé de prendre ce costume et de venir me réfugier aux pieds du roi; si vous me rendez la liberté, on va me 1070

● **Le monologue de Fantasio en prison** — Musset adore laisser parler Fantasio. Il lui a prêté de longues confidences qu'interrompait à peine Spark, puis un premier monologue (II, 3) ; il en lui accorde un second : (l. 984 et suiv.). Si le premier revêtait une importance certaine pour l'action, puisque le projet essentiel y mûrissait, celui d'un homme en prison a un caractère uniquement lyrique : il ne peut faire avancer l'action. D'où vient donc son intérêt? Du commentaire ironique que Fantasio fait de son acte. Une touche nouvelle complète le portrait du personnage.

① Appréciez le récit de Fantasio. A quelle cause générale et à quelle cause personnelle attribue-t-il son acte? Pourquoi est-il maintenant tenté de croire à la Providence? Ne garde-t-il pas son impertinence à l'égard de la religion et des puissances ?

② Précisez les goûts littéraires de Musset-Fantasio. Pourquoi refuse-t-il (l. 1008) de décrire l'envol de la perruque? Notez la théorie, fréquente chez Musset, de l'opposition entre la vie et la littérature.

● **L'arrivée d'Elsbeth**

③ Expliquez l'allure discrète d'Elsbeth (l. 1012). Quel est le sens de son allusion à *Psyché* (l. 1019)? à son esprit romanesque (l. 1021)? Pourquoi l'auteur laisse-t-il la Gouvernante s'enferrer plutôt que la Princesse ?

---

prendre au collet; mon oncle est un avare qui vit de pommes de terre et de radis, et qui me laisse mourir de faim dans tous les cabarets du royaume. Puisque vous voulez le savoir, je dois vingt mille écus [1].

ELSBETH. — Tout cela est-il vrai?

FANTASIO. — Si je mens, je consens à les payer. (*On entend un bruit de chevaux.*)

LA GOUVERNANTE. — Voilà des chevaux qui passent; c'est le roi en personne; si je pouvais faire signe à un page ! (*Elle appelle par la fenêtre.*) Holà ! Flamel, où allez-vous donc?

LE PAGE, *en dehors*. — Le prince de Mantoue va partir.

LA GOUVERNANTE. — Le prince de Mantoue !

LE PAGE. — Oui, la guerre est déclarée. Il y a eu entre lui et le roi une scène épouvantable devant toute la Cour, et le mariage de la princesse est rompu.

ELSBETH. — Entendez-vous cela, monsieur Fantasio? vous avez fait manquer mon mariage.

LA GOUVERNANTE. — Seigneur mon Dieu ! le prince de Mantoue s'en va, et je ne l'aurai pas vu?

ELSBETH. — Si la guerre est déclarée, quel malheur !

FANTASIO. — Vous appelez cela un malheur, Altesse? Aimeriez-vous mieux un mari qui prend fait et cause pour sa perruque? Eh ! madame, si la guerre est déclarée, nous saurons quoi faire de nos bras; les oisifs de nos promenades mettront leurs uniformes; moi-même je prendrai mon fusil de chasse, s'il n'est pas encore vendu. Nous irons faire un tour d'Italie, et si vous entrez jamais à Mantoue, ce sera comme une véritable reine, sans qu'il y ait besoin pour cela d'autres cierges que nos épées.

ELSBETH. — Fantasio, veux-tu rester le bouffon de mon père? Je te paye tes vingt mille écus.

FANTASIO. — Je le voudrais de grand cœur; mais, en vérité, si j'y étais forcé, je sauterais par la fenêtre pour me sauver un de ces jours.

ELSBETH. — Pourquoi? Tu vois que Saint-Jean est mort; il nous faut absolument un bouffon.

FANTASIO. — J'aime ce métier plus que tout autre; mais je ne puis faire aucun métier. Si vous trouvez que cela vaille vingt mille écus de vous avoir débarrassée du prince de Mantoue, donnez-

1. Soixante mille francs en 1834 : plus de 200 000 francs d'aujourd'hui.

● **L'actualité** — Le duc d'Orléans qui, sous le nom de Chartres, avait connu Musset au Lycée Henri IV, eut un jour une conversation confidentielle avec son ancien condisciple, nous rapporte Paul de Musset (*Biographie*

p. 180) : « Le prince ne craignit pas de laisser entrevoir l'éventualité d'une guerre comme une chose probable pour la première année de son règne; il cita même, à ce propos, une phrase de *Fantasio* : *Nous irons faire un tour d'Italie, et si vous entrez jamais à Mantoue, ce sera comme une véritable reine, sans qu'il y ait besoin pour cela d'autres cierges que nos épées.* Le prince ajouta : « Et quand la paix sera signée, nous nous amuserons; nous donnerons de l'occupation aux poètes et aux artistes; vous nous ferez des vers et vous viendrez nous les lire. »

● **La psychologie des personnages** — Dans cette troisième entrevue entre Elsbeth et Fantasio, la situation respective des personnages a changé. Obligé de poser le masque, Fantasio est moins à son aise.

① Pourquoi refuse-t-il que la Princesse paie ses dettes (l. 1113) ? Pourquoi n'accepte-t-il pas de rester comme bouffon (l. 1110) ? Cette attitude est-elle dans la logique de son caractère ?

Elsbeth se sait romanesque. Elle a peur de voir son rêve se dissiper. De même elle se prémunit contre l'amour. Si elle demande à Fantasio de ne revenir qu'avec un déguisement, n'est-ce pas pour se défendre contre la tentation de l'amour, pour mettre une barrière entre elle et lui ? Le rêve et le romanesque ne doivent avoir que rarement la clef de nos âmes.

② Mettez en valeur le comique de la Gouvernante.

③ Comparez le déroulement de la scène aux deux autres rencontres d'Elsbeth et de Fantasio.

● **Le dénouement** a reçu deux interprétations différentes. Arvède Barine (*Alfred de Musset*, p. 137) le rapproche de celui d'un conte de fées : « Le dénouement de *Fantasio* est tout souriant. Éros est victorieux. La gentille Elsbeth n'épousera pas son benêt de prétendu. Il est vrai que deux peuples vont s'égorger ; mais la mort de quelques milliers d'hommes n'a jamais eu d'importance dans un conte de fées, où on les ressuscite d'un coup de baguette, pas plus que les bourses d'or jetées par les belles princesses à leurs sujets dans l'embarras... »
Gustave Lanson (*op. cit.*, p. 43) affirme qu'on se saurait se méprendre plus complètement : « Fantasio parle comme des milliers de Français parlaient en ce temps-là. » Bonapartistes et libéraux étaient belliqueux et rêvaient d'annexions faciles qui vengeraient la honte de 1815. « Ce poète de vingt-deux ans s'exalte à la pensée d'une promenade militaire à Bruxelles ; il en serait, avec plus d'un de ses camarades de fête. »

④ Laquelle de ces deux interprétations vous paraît la plus juste ?

⑤ Ce dénouement satisfait-il le lecteur ? N'est-il pas déçu dans son goût du romanesque, tout comme la gouvernante ? Mais cette fin n'est-elle pas la seule logique ?

⑥ Que pensez-vous de l'addition finale de Paul de Musset (voir p. 84, n. 1) ?

⑦ Fantasio a-t-il raison d'empêcher le mariage d'Elsbeth et du Prince ? Le bonheur d'une petite fille vaut-il le sacrifice de tant de jeunes hommes ? Comment peut-on justifier Musset ?

les-moi, et ne payez pas mes dettes. Un gentilhomme sans dettes ne saurait où se présenter. Il ne m'est jamais venu à l'esprit de me trouver sans dettes. 1115

ELSBETH. — Eh bien ! je te les donne; mais prends la clef de mon jardin : le jour où tu t'ennuieras d'être poursuivi par tes créanciers, viens te cacher dans les bluets où je t'ai trouvé ce matin; aie soin de prendre ta perruque et ton habit bariolé; ne parais pas devant moi sans cette taille contrefaite et ces grelots d'argent; car c'est ainsi que tu m'as plu : tu redeviendras mon bouffon pour le temps qu'il te plaira de l'être, et puis tu iras à tes affaires. Maintenant tu peux t'en aller, la porte est ouverte. 1120

LA GOUVERNANTE. — Est-il possible que le prince de Mantoue soit parti sans que je l'aie vu [1] ! 1125

---

1. Voir les lignes 1092-1093. Dans la version pour la scène, Paul de Musset a ajouté les répliques suivantes :

ELSBETH, *se retournant, à Fantasio.* — Mais tu reviendras, n'est-ce pas?

FANTASIO. — N'en doutez pas, Altesse.

ELSBETH. — Tu reviendras.

Rideau.

Le premier Fantasio : Louis Delaunay
Croquis de P. Renouard

Le dernier « Fantasio » à la Comédie-Française, en 1965 : Michel Duchaussoy.

(Mise en scène de Maurice Escande).

ÉTUDE DE "FANTASIO"

1. L'action

Y a-t-il une action dans *Fantasio* ? Oui, puisque le mariag princier qui devait avoir lieu est rompu et que la gentille prin cesse est sauvée. La première scène annonce le projet, la dernièr évoque le départ du Prince de Mantoue. Mais comment, pa quels ressorts proprement dramatiques ce résultat a-t-il ét obtenu ? Préparer, développer et dénouer cette action sembl avoir été le dernier souci de Musset. « On ne peut prendre tro de précaution pour ne rien mettre sur le théâtre qui ne soit trè nécessaire. Et les plus belles scènes sont en danger d'ennuyer d moment qu'on les peut séparer de l'action, et qu'elles l'inter rompent au lieu de la conduire vers sa fin. » Si l'on appliquait *Fantasio* ce critère de la préface de *Mithridate* (*U.L.B.*, P. 38 que ne faudrait-il pas apparemment retrancher de la comédie Les personnages parlent, n'en finissent pas de parler, ils parlen des fleurs, du tabac, du hasard, de la littérature, bref de tout mais rarement du fameux mariage.
Fantasio apparaît donc, dans son ensemble et dans le détail de scènes, comme aussi décousu qu'une conversation mondaine entr gens d'esprit. Pour définir l'impression que nous laissent ce dialogues, on songerait volontiers aux propos de Stendhal dan une lettre à Balzac : « Je prends un personnage de moi bie connu; je lui laisse les habitudes qu'il a contractées dans l'ar d'aller tous les matins à la chasse au bonheur; ensuite je lu donne plus d'esprit. » Encore les personnages de Stendhal agissent ils, tandis que Musset, en créant des personnages selon son cœur, s contente de les laisser discourir à bâtons rompus.
Mais ce n'est peut-être là qu'une apparence. Bien qu'il soi impossible évidemment de prendre *Fantasio* pour une tragédie classique, il en a la simplicité et l'unité (Gastinel, *le Romantisme de Musset*, p. 298). Sauf pendant la conversation de Fantasic et de Spark (I, 2, l. 135 et suiv.), une seule question est finale-ment agitée : la princesse épousera-t-elle un ridicule? Sous l'arabesque déconcertante de la conversation, la décision de Fantasio mûrit peu à peu. Il cherche de plus en plus ouverte-ment à dissuader Elsbeth d'accepter ce mariage et, quand il comprend que cette petite fille généreuse obéira avec entête-ment à son « devoir », il décide de la sauver. Qu'on reprenne ses répliques, on s'apercevra que Fantasio sait vite où il veut en venir et qu'un fil léger, mais solide, relie tout ce qu'il dit.
Les unités de temps et de lieu sont respectées, du moins dans leur esprit, sans que l'auteur s'en soit beaucoup soucié. L'action ne dure pas quarante-huit heures et, sauf une scène (I, 3, l. 369 et suiv.), qui se déroule sur la route menant à Munich, tout se passe dans la capitale de la Bavière, soit dans le palais royal

(surtout dans les jardins), soit aux environs : les étudiants sont si près qu'un officier doit leur recommander d'éviter un tapage qui serait gênant (I, 2, l. 52). La prison doit se trouver dans les dépendances du palais. Mais, au-delà de ces indications matérielles, ce qui crée l'unité c'est un décor suggéré en quelques traits : « une Bavière de convention », une Cour à l'étiquette familière et débonnaire, une rue illuminée où sont attablés les buveurs de bière, enfin un parterre de bluets sur lequel se détacheront la toilette de jardinière d'Elsbeth et la bosse de Fantasio.

Si la structure de la pièce paraît relever de la fantaisie, c'est que Musset a voulu introduire dans l'action le jeu du hasard. C'est un hasard que Fantasio ait vu passer (l. 331) l'enterrement de Saint-Jean (surtout si tard, l. 313) au moment où lui-même ne pouvait rentrer au logis (l. 344) ; hasard aussi qu'il ait entendu la conversation d'Elsbeth et de sa gouvernante (voir l. 708) ; hasard encore qu'il ait aperçu les pleurs de la princesse (l. 705). Cela fait bien des hasards, et l'auteur qui les invente peut être accusé de tirer les ficelles de l'action d'une manière peu vraisemblable. Mais pourquoi, sous prétexte de rigueur dramatique, l'auteur de théâtre n'aurait-il pas le droit de montrer la place que le hasard tient dans la vie des individus et des peuples?

Musset est d'ailleurs un meilleur homme de théâtre qu'il ne paraît. Sans doute, comme il l'a laissé entendre dans *Une soirée perdue*, n'a-t-il pas plus que Molière l'art de « servir à point un dénouement bien cuit » ; mais ce que nous perdons en adresse technique, nous le regagnons d'un autre côté, car son apparente insouciance donne à la pièce une rapidité fertile en surprises, en changements de ton et en coups de théâtre. En négligeant carrément les préparations auxquelles d'autres se croient obligés, Musset gagne en vivacité. Il faut admettre cependant que le dénouement déçoit le spectateur, parce qu'il introduit un thème guerrier inattendu, peu adapté à la légèreté des propos précédents, et aussi parce que le spectateur, aussi sentimental et romanesque que la gouvernante, ne peut se résoudre à voir deux êtres sympathiques se séparer à la fin d'une comédie au lieu de s'épouser. Enfin, il faut reconnaître que le souci dominant de Musset n'a pas été l'agencement dramatique — l'intrigue n'est au fond qu'un prétexte — mais la rencontre imprévue de deux personnalités opposées : un libertin, sceptique mais homme de cœur, qui ressemble à Musset « comme un frère », et une jeune fille bien élevée qui croit à des valeurs comme le devoir et l'obéissance. Imaginer leur dialogue, voilà pour Musset l'essentiel.

A côté de ce thème dominant, un motif secondaire court : ce sont les scènes de parodie, d'un comique plus appuyé, où paraît le Prince de Mantoue. Entre ces scènes, ou pour les conclure, de brefs raccords. Les actions importantes se passent dans la coulisse, comme chez les classiques. Aussi a-t-on pu retourner contre Musset sa définition de la tragédie de Racine (*De la tragédie, à propos des débuts de Mademoiselle Rachel*, éd. Allem, p. 911) : « Une fable languissante, un intérêt faible, de longs discours, des détails fins, de curieuses recherches sur le cœur humain [...], de beaux parleurs, en un mot, et de belles discoureuses qui content leurs peines au parterre. » Mais le reproche tombe à faux, si c'est volontairement que Musset a négligé l'action dans une pièce destinée d'abord au plaisir du lecteur.

2. Les caractères

Fantasio est de tous les personnages le plus important, au point d'éclipser les autres. Il reste presque constamment devant nous, et dès qu'il paraît, la scène s'allonge. Bien que nous ne le voyions vivre que pendant deux jours, il nous faut imaginer son passé. C'est un jeune homme noble et riche — ses dettes le prouvent — que la vie a déçu, qui est maintenant revenu de tout et qui s'ennuie. Il ne croit à rien, ni à Dieu, ni aux hommes, ni à la politique, ni à l'amour. Il n'espère rien de l'avenir. Musset lui a prêté le désenchantement de la plupart de ses personnages. Il a la philosophie sceptique et désabusée de Rolla ou de l'Octave des *Caprices* : celle de Musset à l'époque évoquée dans les premiers chapitres de *la Confession d'un enfant du siècle*, c'est-à-dire entre la première trahison et la rencontre de George Sand.

Mais un autre trait, apparemment opposé, distingue Fantasio de Rolla : une gaminerie spirituelle. Si le cœur est triste, Fantasio tient des propos amusants ; il est prêt à rire et à se moquer de tout, il est encore capable de se réjouir d'une bonne farce, d'une conversation détendue avec un ami, d'une joute d'esprit avec une jeune fille intelligente et généreuse. Il a beaucoup de désinvolture et de légèreté ; « sans rien en lui qui pèse ou qui pose », dirait Verlaine. Il est bavard, mais sous ses propos paradoxaux se cache plus de sagesse et de bon sens qu'on ne le croirait. Enfin, ce sceptique est capable de pitié et même de sacrifice. Il ne peut tolérer qu'une jeune fille pleure et il risque pour elle sa vie, sa liberté même, à quoi il tient plus encore. C'est que, comme tous les héros de Musset, Fantasio ne peut supporter indéfiniment le vide du cœur. Il aspire à éprouver un sentiment, à s'engager dans un acte qui justifie son existence. Gustave Lanson l'a bien vu (*op. cit.*, p. 46) :

① « Le libertin blasé à qui la vie pèse et que le monde dégoûte se rattache un moment à l'existence par la pitié, par l'occasion qu'il trouve d'agir pour autrui, et va jusqu'à offrir sa vie pour la patrie. »

Fantasio se reconnaîtrait peu dans ces formules solennelles; nous en retiendrons surtout ce terme : *un moment*; car, l'acte accompli, le jeune homme retombe. Son intervention, comme son déguisement, il ne s'y est décidé qu'à moitié ivre, comme s'il avait senti qu'avec ses forces habituelles il n'en eût pas été capable. Ce qui lui a plu, c'est leur aspect de bonne farce. Saurait-il combattre, comme il l'assure (l. 1099)? Peut-être, s'il ne s'agissait que d'une promenade militaire, et encore ! Paul de Musset raconte (voir p. 34) qu'Alfred, songeant à porter *Fantasio* au théâtre, avait imaginé que Spark, Hartman, Facio apparaissaient au dénouement et s'engageaient dans l'armée — ce sont des garçons actifs —, tandis que notre héros refusait de les accompagner et reprenait ses habits de bouffon. Dérobade significative. L'enthousiasme meurt vite chez le libertin.

Musset a mis beaucoup de lui dans ce personnage. Dans une lettre au directeur de l'Odéon, Paul raconte (éd. Allem, p. 800) que son frère avait refusé le rôle de Fantasio à l'acteur Brindeau en lui disant : « Fantasio, c'est moi; et vous ne me ressemblez pas assez. » Gastinel restreint la portée de ce propos (*op. cit.*, p. 322) : Musset « trace son portrait du moment. Or il est ondoyant et divers ». Ce qui domine, chez Fantasio, c'est « le sentiment d'une adaptation impossible entre son cœur et son temps ». Cependant, scepticisme et désinvolture cachant une âme sensible, n'est-ce pas tout Musset? Faute de savoir à quel moment précis de l'année 1833 *Fantasio* a été composé, risquons une hypothèse. George Sand admettait, avec la plupart des amis du poète, qu'Alfred était à la fois Octave et Cœlio. Musset n'a-t-il pas cherché, plus ou moins consciemment, à tracer de lui un portrait qui fasse la synthèse des Musset possibles et qui donne de lui à George Sand une image séduisante ? Celle d'un homme ayant le libertinage de pensée et de mœurs d'Octave — restes du passé — et ses qualités de causeur aimable, mais aussi la délicatesse d'un Cœlio, capable pour sa princesse de tous les dévouements, sans pour cela n'être qu'un amoureux transi.

Cette complexité, cette désinvolture, cet humour qui s'exerce sur tout et d'abord sur soi-même, cette allure désabusée qui ne prouve pas la sécheresse du cœur, cet élan vers l'action, qui retombera vite mais aura sauvé un être pur, ont fait échapper Fantasio au vieillissement de maint héros romantique. Lui du moins n'est pas un « rêveur à nacelle », ni « une force qui va »; et nous le trouvons, en fin de compte, assez moderne. Ne connaissons-nous pas, incarnés par des acteurs célèbres, bien des personnages de cinéma qui ne croient à rien, mais sont capables d'éprouver un sentiment délicat qui les transforme et leur fait accomplir une action un peu folle dans sa générosité ?

Elsbeth est une des plus délicates figures de jeunes filles dessi-
nées par un libertin. Elle est proche de la Cécile d'*Il ne faut jurer de rien*, de Ninon et de Ninette d'*A quoi rêvent les jeunes filles*. Mais elle a plus de mérite que ses sœurs. Celles-ci s'ouvrent naturellement à l'amour qui inspire leur conduite ingénue, et elles n'ont plus qu'à se laisser guider par lui. Elsbeth ne connaît pas l'amour; elle a le sens de son devoir de fille de roi, elle est prête à se sacrifier avec le sourire, quitte à pleurer secrètement.
Plus spirituelle que Cécile et Ninette, elle est capable d'affection et d'amitié pour un être déshérité, son bouffon Saint-Jean parce qu'il a du cœur. Elle déteste l'imbécillité où elle devine la méchanceté latente; elle accepte de bon cœur les moqueries, si elles viennent d'un homme d'esprit, elle leur répond du tac au tac; elle n'est mordante que quand elle souffre. Elle a un esprit romanesque nourri par ses lectures : elle le sait et s'en défie, ayant deviné que la vie ne répond pas aux rêves des petites filles. Qui l'a élevée ? sa gouvernante ? Elle a dû avoir une mère d'une rare qualité d'âme, morte très tôt sans doute, une de ces jeunes femmes spirituelles et bonnes que Musset peindra souvent dans ses pièces ou ses nouvelles.

Le **Prince de Mantoue** est une réussite dans la galerie des grotesques. Il n'a pas la truculence sympathique de Bridaine et de Blazius. Moins franchement ridicule, il a pourtant un degré de ridicule de plus que le Baron d'*On ne badine pas*, celui-ci gardant une certaine dignité. Le Prince de Mantoue, c'est le vaniteux épris d'un faux romanesque. Il adopte le stratagème qui a si bien réussi aux charmants héros de Marivaux et à notre Fantasio; mais il se couvre de ridicule parce qu'il manque d'humour et qu'il a l'outrecuidance de croire que son déguisement importera à la postérité. Toujours en représentation, il parle d'une façon solennelle, débitant les pires banalités, maniant les figures de rhétorique d'une façon scolaire, incapable de comprendre quoi que ce soit, et en particulier qu'on se moque de lui. Têtu avec cela, et indécis à la fois. Ce qui paraît plus grave, cet imbécile, qui n'a pas assez d'esprit pour être bon, devient franchement méchant quand on se moque de lui (en actes, car autrement il n'aurait pas compris). Il se vexe, réclame pour le bouffon un châtiment disproportionné et n'hésitera pas à sacrifier son peuple pour venger sa majesté outragée.

L'art de l'auteur se reconnaît non seulement à la création des personnages principaux, mais aussi à la « présence » qu'il sait donner aux personnages secondaires. Il lui a suffi de quelques répliques pour faire du **Roi de Bavière** un personnage en demi-teinte, sympathique dans sa bonté un peu molle. Peut-on lui reprocher de sacrifier sa fille au bonheur de son peuple et de ne

CL. LIPNITZKI

Mony Dalmès (Elsbeth)
lle Vivier (la gouvernante)
lien Bertheau (Fantasio)

Comédie-Française 1954

Elsbeth. — Oui, c'est lui, voilà ma curiosité satisfaite... (II, 7, l. 1017)

Dessin de Lami, 1883, évoquant la même scène

DE L'ARSENAL

pas mieux entendre ce que cachent des réponses obéissantes ! Il devine bien que ce mariage ne plaît guère à sa fille, mais peut-on avoir confiance dans le jugement d'une cervelle romanesque ? Il est trop sceptique sur la sagesse des femmes pour les écouter. Du moins garde-t-il une simplicité de bon aloi exempte du souci de l'étiquette, et se montre-t-il homme d'esprit en riant de la perruque enlevée et en essayant de calmer le Prince.

La gouvernante, romanesque, affectueuse, la tête farcie de lectures, compose un personnage très vivant, aussi sympathique dans sa folie que Dame Pluche est agaçante et désagréable dans sa sécheresse bigote.

On aimerait prendre la défense de **Marinoni**. Sans doute au début, espion en service commandé, fait-il fort mauvaise impression, mais comme il paraît un aigle, à côté de son maître ! Il sait se tirer avec un certain esprit des situations désagréables où celui-ci le met. Il sait le manœuvrer avec adresse. Il y a en lui un humour froid qui le sauve du ridicule complet.

A chacun de ses **étudiants** Musset a prêté les principaux traits de l'effervescence de la jeunesse : le goût du bruit et des farces irrespectueuses, l'amour de la liberté et le mépris du bourgeois.

Spark mérite une place à part. Techniquement parlant, il joue le rôle du confident de tragédie classique, mais il a de la personnalité. On peut voir en lui l'homme de l'instant, apte à goûter les joies les plus passagères, au reste plein de sagesse narquoise. Ami solide pourtant, précieux pour Fantasio l'agité, à cause de son calme. Quelle sécurité pour Fantasio d'avoir à ses côtés, dans ses pires heures, ce bon buveur de bière !

3. Le style

Si insaisissable qu'il soit, le style de Musset a souvent été analysé, et tout récemment par M. A. Brun (*Deux proses de théâtre*). Dans *Fantasio*, le style n'a pas tout à fait le même caractère que dans *les Caprices* et *On ne badine pas* ; moins pathétique, moins abrupt, moins déclamatoire, il a plus de légèreté. Partout où il paraît, Fantasio donne le ton. La phrase est brève, vive, souvent exclamative ou interrogative. Quand Fantasio se montre fidèle à son programme — *beaucoup parler, voilà l'important*, l. 540 — elle se fait bavarde. Elle reste, même quand il est seul, une phrase de dialogue pleine de boutades, de coqs-à-l'âne, d'alliances de mots, de formules paradoxales. L'esprit est étincelant, les ellipses sont fréquentes, comme dans une conversation entre gens spirituels qui se comprennent à demi-mot.
La variété et la luxuriance des images retiennent l'attention. Il y

en a de toutes sortes : expressions concrètes et pittoresques, métaphores, comparaisons soutenues. Elles sont empruntées à des domaines variés : la nature (surtout les fleurs), l'existence quotidienne, la vie de société, l'art et la littérature. Parfois la comparaison se prolonge, non sans menues incohérences. Par leur nombre, les images donnent à la pièce un éclat poétique incontestable.
Le vocabulaire est concret, la langue drue : on y trouve quelques expressions triviales, comme chez Jean-Paul ou Hoffmann que Musset admirait. Souvent le mot ou le tour rappelle l'époque classique, peut-être La Fontaine ; tel mot est d'origine italienne ou allemande, tel autre est tout moderne.
Avons-nous là un bon style de théâtre ? Sans doute à cause de la vivacité du dialogue. Mais la densité des répliques est trop forte, la phrase trop elliptique ou allusive pour le simple spectateur. A plusieurs reprises, la pièce fut jugée obscure, et Paul de Musset a fait un effort touchant pour expliciter les formules. *Fantasio* est une pièce qui exige du spectateur beaucoup d'esprit. Elle déconcerte le spectateur non préparé, tandis que le critique averti se régale d'une prose subtile et dense où il découvre chaque fois une perle nouvelle, une intonation qui lui avait échappé.
Le style du Prince de Mantoue est très différent, pompeux et solennel, conforme aux lois de la rhétorique, encombré de clichés et d'adjectifs banals. S'il a un certain nombre, une certaine ampleur, c'est au service d'une pensée toujours sotte ou terne, dont les articulations sont lourdes ou risibles. Musset a été victime de son habileté à faire parler les sots.

① « C'est la présence fréquente de la sottise qui explique cette impression de moindre finesse, quand aux *Caprices* on compare *Fantasio* » (A. Brun, *op. cit.*, p. 81).

Bien qu'elle ne concerne pas *Fantasio*, mais les *Revues fantastiques* parues dans *le Temps* en 1831, nous citerons ici une analyse de la prose de Musset, extraite de la thèse de M. Gastinel (p. 211-212), car nous croyons que la pièce a su garder l'aisance et le ton du chroniqueur, auquel on laissait une grande liberté :

② « Sa phrase, ici rapide, et là nonchalante, presque toujours spirituelle, atteint le trait sans le viser ; elle se pose sur un détail qu'elle met en lumière, elle se plaît à l'imprévu ; alerte, pimpante, elle se poudre comme au siècle précédent, et tout d'un coup, se débraille une seconde ; elle jongle avec l'abstrait et le concret sans maladresse, sans heurt trop violent, et l'on reconnaîtrait en elle la marque d'un maître, si, par moments, une sympathie exagérée de l'extraordinaire, une richesse un peu trop exubérante, un rien de lourdeur n'y révélaient encore l'apprenti. »

4. L'originalité, le sens et la modernité de la pièce

Fantasio n'a pas l'ampleur, ni la profondeur de *Lorenzaccio.* Il n' pas le caractère dramatique, ni la vigueur d'*On ne badine p avec l'amour.* Il est composé avec moins de brio que *le Chandelie* C'est une pièce rêvée plutôt qu'achevée.

① C'est « moins une pièce qu'une confidence dialoguée (Gastinel, *op. cit.*, p. 285).

Musset y prélude à ses comédies mondaines qui ne sont que d spirituelles conversations. *Fantasio* s'en distingue pourtant pa un sujet plus émouvant, un ton plus mélancolique. Musset n' pas encore pris son parti de n'être qu'un mondain désœuvr capable de composer de jolis riens, comme *On ne saurait penser tout.* Le cadre choisi, une Bavière idéale, très stylisée, garde à l pièce une allure un peu féerique, en quelque sorte intemporell et a peut-être moins vieilli que l'évocation des salons mondain *Fantasio* comporte un mélange de poésie, d'esprit et de philo sophie qui en fait le prix. La poésie tient à l'évocation rapid d'une ville illuminée, d'un jardin aux bleuets fleuris, d'u palais où pleure une princesse, et surtout aux effusions lyrique d'un esprit inquiet qui promène sur toutes choses un regar désabusé, capable cependant de saisir la beauté des détails d'u monde qu'il condamne dans son ensemble, celle d'une fleu d'un tableau, d'une larme. Une autre forme de poésie naît d romanesque des déguisements, d'un jeu perpétuel de cach cache. Au fond, c'est une poésie du sentiment qui se donne pou une poésie de l'esprit.
L'esprit jaillit de toutes parts. D'abord des répliques du dia logue. Un mot en appelle un autre et provoque une pirouett Fantasio mène la danse, mais Spark n'est pas sot, et Elsbeth n se laisse pas démonter. Tout paraît improvisé quand nos héro parlent, et il y a chez tous deux assez de fierté pour que ni l'u ni l'autre ne s'avoue battu. Ainsi le dialogue a pour le lecteu l'attrait d'une joute spirituelle, d'une escrime rapide où le fleurets ne font pas de mal, mais où les coups sont inattendus La lourdeur apprêtée des grotesques fait ressortir en contre point la finesse de ce dialogue.
On ose à peine parler de philosophie, tellement un mot auss lourd de sens semble ici peu convenir. Pourtant l'ennui de Fan tasio a un caractère métaphysique. On y découvre la plaint — renouvelée de génération en génération, empruntant chaqu fois un ton ou un vocabulaire nouveau — du cœur humain qu voudrait que la réalité fût « la sœur du rêve ». Ce n'est pas un déception amoureuse ou un ennui passager qui cause la tristess de Fantasio, mais le désenchantement : un homme, jeun encore, a jugé le monde et l'a trouvé mal fait. Comment vivr

dans ce monde absurde où l'on ne peut même pas sauter par sa fenêtre sans se casser les jambes ? Pourtant, il faut vivre. Fantasio envisage deux solutions : se moquer de ce monde, lui ôter son masque, dénoncer la comédie sociale en raillant les ennuyeux et les « importants » ; ou bien se risquer à une action un peu folle qui permette de changer de personnalité. Mais une telle action n'est après tout qu'un divertissement, dont l'esprit critique de Fantasio aura vite fait de dénoncer la vanité. Il faudra alors aller plus loin et, dans un acte hardi, risquer sa vie et sa liberté ; on dirait aujourd'hui « s'engager ». Encore procédera-t-on non comme si c'était un devoir, mais avec humour, sans se prendre au sérieux. On fait le bien sans y croire. N'est-ce pas très moderne ?

Fantasio pose aussi un autre problème, celui de la raison d'État. Apparemment, le dénouement est immoral. Approuvé par l'auteur, manifestement son complice, Fantasio empêche la Princesse de se sacrifier et semble ainsi s'opposer aux plus hautes valeurs morales. La rupture des fiançailles va provoquer le malheur de bien des innocents. De quel droit les rompre sous prétexte qu'une petite fille n'a pas trouvé le prince charmant de ses rêves ? N'est-ce pas, en fin de compte, une leçon d'égoïsme personnel, « d'anarchisme moral » (Ph. Van Tieghem) que nous donne *Fantasio* ?

Ce serait mal comprendre cette œuvre, à la fois légère et profonde, que de l'affirmer. Faisons la part des choses et tenons compte des dates. Nous ne saurions aujourd'hui parler de la guerre avec autant de désinvolture, et c'est un des points où la pièce a vieilli. Mais la philosophie générale de Musset accorde peu de place aux valeurs de la communauté. Ce qui le préoccupe, c'est le destin et le bonheur de l'individu.

① La leçon de *Fantasio* n'est-elle pas essentiellement, comme l'a vu Brunetière (*Les Époques du théâtre français*, p. 381), « que le pire crime qu'il y ait au monde [...] c'est de sacrifier une âme dont on avait la garde aux nécessités de la politique, à l'égoïsme des intérêts, à la superstition des convenances » ?

Le public populaire, qui pleure sur les malheurs des filles de roi, peut être dupe d'une fable sentimentale, il n'a pas tout à fait tort d'y voir le symbole de l'individu sacrifié à l'État. Ces graves questions ne sont cependant pas ici traitées didactiquement, comme dans une pièce à thèse, ni même directement, mais sous forme de jeu, dans un dialogue naturel. A cause de sa nature d'esprit, Fantasio ne va jamais droit au but. Il tient des propos en l'air, se lance dans un monologue lyrique à peine interrompu par les brèves remarques de Spark, ou entame un dialogue incisif. Les comparaisons, les calembours fusent, et l'on s'aperçoit soudain qu'il a porté un coup direct. On hésite à le prendre au pied de la lettre, car il évite de répondre directement à une question. Ce qu'il sent est différent de ce qu'il dit. Il faut l'entendre à demi-mot. Ce jeu perpétuel, ces tours et ces détours, ce mélange d'émotion et d'ironie, ces historiettes, ces images multiples dans une intrigue assez lâche et sous un ton désinvolte, l'évocation d'un grand problème humain, tout cela ne le retrouvons-nous pas dans la fantaisie d'un Giraudoux ? Des êtres purs ne sont-ils pas, chez Giraudoux, opposés à des grotesques ? Giraudoux admirait, lui aussi, les romantiques allemands. *Fantasio* est une comédie que Giraudoux aurait pu écrire, d'un bout à l'autre.

5. « Fantasio » devant la critique

La reprise de *Fantasio* à l'Odéon, le 25 février 1892, déconcerta le public. L'*Illustration*, qui consacrait alors tant de commentaires élogieux et abondamment illustrés à des nouveautés oubliées de nos jours, fut sévère par la plume de M. Savigny (5 mars) :

① « De toutes les pièces qu'Alfred de Musset écrivit dans sa prime jeunesse, sans songer à leur voir prendre la vie au théâtre, c'est là certainement une des plus médiocres ; elle date de la vingtième année du poète, elle semble avoir été écrite après une lecture de Shakespeare, dans un accès de romantisme et dans une recherche perpétuelle d'originalité. Je ne lui ferai pas le reproche de n'être pas claire, mais je blâme ce conte d'être assez mal raconté et de tomber parfois dans des enfantillages de féerie. Il y a dans ce dialogue des couplets exquis, évidemment. Il y passe de temps à autre des vers, échappés de la prose, qu'on croirait appartenir à *Mardoche* ou à *Namouna*, mais le ton ne se soutient pas et l'esprit et le bon goût se compromettent dans cette improvisation qui n'a donné place qu'au paradoxe sans laisser à la sincérité du poète le temps de se faire jour ; la fantaisie est donc vide, parfois même un peu puérile. »

Heureusement, cette représentation permit aux critiques universitaires d'expliquer *Fantasio*. Dans la quinzième de ses Conférences à l'Odéon (réunies dans ses *Époques du théâtre français*, 1892, p. 381), Brunetière déclare qu'il voyait dans la poésie du décor le meilleur du romantisme, « cette liberté rendue au rêve », et assez curieusement une des origines du symbolisme contemporain, « s'il consiste, comme je crois, à vouloir voir plus loin que les choses et, par-delà leur écorce, atteindre jusqu'à la réalité profonde et mystérieuse dont elles ne sont que les signes éphémères et changeants ».
Il trouvait dans la comédie une satire sociale assez hardie ; mais, demanda-t-il (p. 380), est-ce bien du théâtre ?

① « Ni l'idée, je l'avoue, ni le sujet ne sont ici toujours assez clairs ; les préparations sont insuffisantes ; et Musset, en sa qualité de romantique, intervient trop de sa personne dans l'action de la plupart de ses comédies. Vous en serez frappés tout à l'heure en voyant jouer *Fantasio*. Le principal personnage n'intéressera vraiment que ceux d'entre vous qui s'intéressent à Musset lui-même, qui l'aiment ou qui l'ont aimé, qui se rappellent qu'il a beaucoup souffert... »

JULES LEMAITRE avoua qu'il avait pris à la représentation « un plaisir extrême » ; il admirait, dans *Fantasio* (*op. cit.*, p. 142-146), « un adorable songe dialogué au hasard de la songerie ».

② « Fantasio est un étudiant bohème à qui Musset a prêté son âme. Fantasio s'ennuie — parce qu'il a trop aimé; il se croit désespéré, il voit la laideur et l'inutilité du monde — parce qu'il n'aime plus...
» Ainsi Fantasio peut bien être devenu incapable d'aimer ; car trop d'expériences amoureuses, cela finit par s'appeler la débauche, et la débauche tue l'amour. Mais pour lui, comme pour Musset, l'amour reste la plus mystérieuse chose, la plus divine et la meilleure...
» Fantasio n'est point amoureux de la princesse; seulement il aime encore l'amour, l'incorrigible qu'il est, et il ne veut point que cette jolie enfant soit contrainte de mentir à l'amour. »

Il faudrait citer ici bien des pages du livre, devenu classique, de M. LAFOSCADE, *le Théâtre de Musset*, que nous avons déjà largement utilisé. Retenons-en la conclusion (p. 367-368) :

③ « Le théâtre de Musset est quelque chose d'isolé, d'exceptionnel, il n'est pas un anneau quelconque dans la longue chaîne des œuvres dramatiques, il ne constitue pas un moment prévu dans l'évolution d'un genre [...].
» Musset n'est ni romantique, ni classique, ni exclusivement français, ni simple imitateur des étrangers : il est avant tout lui-même.
» La muse du poète voltige ici avec une aisance incomparable, suit les caprices les plus inattendus, s'éloigne dans les fantaisies les plus éthérées et dans les bouffonneries les plus extravagantes, puis se retrouve tout à coup sur un chemin frayé, et l'on s'aperçoit qu'elle s'était à peine égarée. »

Après la représentation de 1911, RENÉ DOUMIC écrivit dans la *Revue des Deux Mondes* du 1er avril : « *Fantasio* est une des pièces qui, dans le théâtre de Musset, souffrent le plus d'une représentation vulgaire. Elle a toujours été affreusement montée. M. Georges d'Espagnat, qui est un peintre délicat, en a fait quelque chose de tout à fait joli. Il a composé un cadre du plus charmant

rococo bavarois, où se meuvent à souhait le lyrisme et la préc
sité romantiques de Musset. Il ne fallait pas moins que cela pc
rendre quelque vie au héros de cette fantaisie. Le rôle de Fa
tasio a été tenu avec beaucoup de justesse et de feu par M. Gast
Deschamps. Il a beau faire, beaucoup de choses qui plais
encore à la lecture, par la magie du style, paraissent aujourd'h
assez froides à la scène. Ce qui ressort au contraire, avec u
vie inattendue, ce sont les parties de farce et de caricature... »

En 1911, M. JEAN GIRAUD compléta les recherches de Lafosca
et signala l'influence d'Hoffmann (voir p. 29).
En 1913, GUSTAVE LANSON montra aux lettrés, surtout sensib
à l'atmosphère féerique de la pièce, qu'il n'y avait pas là se
lement un conte bleu, mais le souvenir d'un événement politiq
récent et qu'ainsi fantaisie et vérité étaient mieux équilibr
qu'on ne le croyait.
Nous avons souvent cité la thèse magistrale de M. PIER
GASTINEL, *le Romantisme d'Alfred de Musset*, publiée en 19
Empruntons-lui ce jugement de synthèse (p. 259) sur l'ensem
du *Spectacle dans un fauteuil* :

① « Ce théâtre de jeunesse laisse l'impression d'une réuss
presque invraisemblable, d'une harmonie où viennent se fon
les éléments les plus disparates : la simplicité du dessin et
complexités de l'analyse, la réalité des détails et la poésie
l'atmosphère, la vraisemblance humaine et le lyrisme, u
expérience d'homme et les passions de l'adolescence, un
étrange de styliser les caractères et de les déformer et de fa
naître pourtant la vérité de leur simple rapprochement. Il y a
la preuve la plus irrécusable d'originalité. »

M. HENRI LEFEBVRE (*Alfred de Musset dramaturge*, 1955, p. 65-6
a été sensible aux aspects politiques et sociaux de *Fantasio* :

② « *Fantasio* est une pièce politique ; mais combien habilem
et profondément « thématisée », transposée théâtraleme
approfondie [...]. Spark, garçon équilibré, solidement soci
sachant jouir modérément et confortablement de la vie rée
essaie en vain de ramener Fantasio au « normal », c'est-à-d
à la médiocrité bourgeoise [...]. A l'abri du masque et du rô
le « héros » qui va se révéler trouve son unité et son accord av
soi et accomplit une grande action [...]. La majesté des r
bafouée par un bouffon — la guerre préférée à l'humiliati
devant l'étranger — que pouvait demander de plus en 18
l'opposition [...]? Sur le plan de l'individuel, le « héros
cynique, impur, souillé, parvient à se justifier par un acte [..
D'un extrême il passe à l'autre : de l'obscurcissement à la gra
deur lumineuse et lucide, de l'abjection à l'héroïsme, du me
songe à la vérité [...]. Ce sont déjà les contenus et les thèmes

Lorenzaccio, sous le masque de la bouffonnerie lyrique, et avec légèreté, fantaisie. »

Après avoir vu, dans Fantasio (*Musset, l'homme et l'œuvre*, 1944, p. 86-87), « l'image d'un Musset qui se souvient comme d'un rêve du Rolla de naguère et ne voit qu'à travers la brume du bonheur présent ses souffrances enfin abolies », M. PHILIPPE VAN TIEGHEM a consacré un article de la *Revue d'histoire du théâtre* à « l'Évolution du théâtre de Musset des débuts à *Lorenzaccio* » ; il y montre que les différentes pièces de Musset répondaient à des nécessités intérieures, qui ont d'ailleurs des résonances modernes (p. 269-270) :

« *Fantasio* est l'affirmation non seulement des droits, mais du triomphe de la fantaisie [...]. Ce côté fantaisiste de sa nature, certes Musset ne pouvait l'ignorer. Mais il ne lui avait pas encore donné la valeur philosophique et morale qui fait d'une tendance un principe de vie [...].
» C'est dans l'absurde au contraire que Fantasio se sent à l'aise, et c'est par l'absurde qu'il arrive à faire le bien... Et Musset, par la bouche de Fantasio, arrive à cette conclusion que dans un monde absurde la vie ne peut être qu'un jeu et que ce jeu ne peut consister qu'à rompre les normes sociales aussi bien que logiques et verbales. Le « calembour » est élevé à la dignité de jeu suprême et de suprême raison. Cet anarchisme moral est une étape importante dans l'évolution de Musset. »

6. Une influence directe.

L'écrivain allemand Georg Büchner (1813-1837) s'est directement inspiré de *Fantasio* dans une comédie, *Léonce et Léna*, où l'on retrouve le même cadre, le même genre de situations, les mêmes personnages et les mêmes déguisements. Georg Büchner connaissait bien la littérature française de son temps. Il avait traduit *Lucrèce Borgia* et *Marie Tudor* de Victor Hugo. En 1969, la comédie *Léonce et Léna* a été mise en scène à Paris, au Théâtre de Lutèce, ainsi qu'à Lyon au Théâtre du VIIIe, où elle précédait la représentation de *la Mort de Danton* du même Büchner. Le compte rendu par J.-J. Lerrant, dans le journal *Le Progrès*, de cette comédie « délicate et mélancolique » pourrait convenir à *Fantasio* : « C'est un délire tendre et chimérique dans lequel le romantisme revêt mille masques plaisants dont les grimaces, pourtant, sont assez amères. »

CL. LIPNITZK

« Un Caprice » à la Comédie-Française, 1963
avec Geneviève Casile (Mathilde) et François Chaumette (Chavigny)

UN CAPRICE

Un Caprice fut publié dans la *Revue des Deux Mondes* le 15 juin 1837 et retint peu l'attention. Mais la première représentation, le 27 novembre 1847 au Théâtre-Français, fait date dans l'histoire de Musset. Paul de Musset écrit (*Biographie*, p. 298) : « Le succès du *Caprice* a été un événement dramatique important, et la vogue extraordinaire de ce petit acte a plus fait pour la réputation de l'auteur que tous ses autres ouvrages. »

Paul de Musset raconte qu'une actrice française, Mme Allan-Despréaux, « jouissait depuis quinze ans d'une grande faveur à la cour de Russie ». Elle vit une petite pièce russe qui lui plut; elle en demanda la traduction, mais on lui révéla que c'était une œuvre de Musset, *Un Caprice*. Quand elle revint en France, « elle voulut reparaître devant le public de Paris, dans les deux rôles de Célimène et de Mme de Léry » (*ibid*, p. 296-297). On dit alors qu'elle avait rapporté *Un Caprice* dans son manchon.

Nous savons aujourd'hui, par un article extrêmement documenté de M. Grégoire Morgulis, « la Véritable histoire d'*Un Caprice* de Musset en Russie » (*Revue de littérature comparée*, janvier-mars 1930), comment les choses se sont passées exactement. Le théâtre français était fort apprécié par l'aristocratie russe. Une actrice en vogue, Mme Karatyguina, ayant lu l'œuvre de Musset dans la *Revue des Deux Mondes*, la fit traduire et accepter par le Théâtre Alexandrinsky à Saint-Pétersbourg, où elle fut jouée le 8 décembre 1837 sous le titre de *l'Esprit féminin vaut mieux que tous les raisonnements*. La pièce eut un grand succès et fut reprise une dizaine de fois jusqu'en 1844. L'actrice russe la joua pour ses adieux à la scène, qui furent un vrai triomphe.

Mais elle avait signalé ce petit acte à une actrice française, Mme Allan-Despréaux, installée depuis 1837 au Théâtre Michel. Celle-ci, avec son mari, joua la pièce de Musset en français le 4 décembre 1843, sous ce titre : *Un Caprice ou Un Jeune Curé fait les meilleurs sermons*. La pièce fut reprise plusieurs fois jusqu'en 1847. Aussi, quand le crédit de Mme Allan eut baissé en Russie et qu'elle revint en France, elle songea à ce rôle.

Cependant, Musset (il ignorait, semble-t-il, son succès à Saint-Pétersbourg) avait accepté de faire jouer la pièce à Paris dès 1845. Rendu pessimiste par l'échec de *la Nuit vénitienne*, il craignait qu'un échec au Français ne fût trop grave, mais il admettait que Bocage, directeur de l'Odéon, risquât un fiasco. Celui-ci renonça finalement à l'entreprise. Puis Buloz, administrateur de la Comédie-Française, songea aussi à faire jouer *Un Caprice*. Musset proposa comme actrices Mlles Brohan et Judith, ainsi que leur camarade Geoffroy. Là-dessus arriva Mme Allan, qui se vit confier le rôle de Mme de Léry qu'elle avait tenu en Russie. Mlle Judith joua Mathilde, et Brindeau (à qui Musset ne voulut pas plus tard confier Fantasio) M. de Chavigny. Le succès fut très vif et décida le Théâtre-Français à mettre à la scène la plupart des pièces de Musset.

Souvent joué en complément de programme, *Un Caprice* a été repris à la Comédie-Française, dans une mise en scène de Maurice Escande, le 27 avril 1963. La deuxième série de représentations à la Comédie-Française date de 1978.

Le sujet d'*Un Caprice* fut inspiré à Musset par un épisode de sa vie, ainsi rapporté par son frère (*Biographie*, p. 182) : « Parmi les témoignages de sympathie qu'il recevait souvent, se trouva une bourse anonyme en filet dont il ne put deviner l'auteur. Après avoir soupçonné toutes les femmes de sa connaissance, il puisa dans ses conjectures le motif d'une peinture de la vie parisienne. C'est ainsi que lui vint l'idée du *Caprice* [...]. Il choisit pour modèle sa marraine [Mme Jaubert] quoiqu'elle ne fût pour rien dans le complot de la bourse en filet. Aussitôt le personnage de Mme de Léry lui apparut avec sa gaieté, sa malice, son langage pittoresque, son esprit incisif, son caractère frivole en apparence. »

En fait, c'était Aimée d'Alton, la cousine et presque la fille adoptive de la marraine, qui, « sachant qu'il jouait, voulut un jour qu'il avait perdu une somme assez forte essayer de le guérir de cette passion » (éd. Allem, p. 847). « Il y avait là l'aveu d'une attention discrète et tenace, assez de coquetterie pour séduire Musset, assez de mystère pour piquer sa curiosité » (Gastinel, *op. cit.*, p. 529). Ainsi commença leur correspondance et une liaison qui dura deux ans, où Aimée d'Alton fit preuve d'une grande tendresse et d'un grand dévouement.

Le thème d'une bourse envoyée par une inconnue se trouve aussi au début d'une nouvelle composée la même année, *le Fils du Titien*, nouvelle qui, « malgré le dépaysement, est la plus autobiographique que Musset ait écrite » (Ph. Van Tieghem, *Musset*, p. 136). Mais si le début est le même, cadre choisi, époque, philosophie générale et style sont bien différents dans les deux œuvres.

Un Caprice appartient au groupe des chefs-d'œuvre mondains que le poète a composés de 1836 à 1839 quand se fut apaisée, non sans les soubresauts dont témoigne la *Nuit d'octobre* (1837), la grande passion romantique. Il goûte aux plaisirs de la vie mondaine. Il compose un grand nombre d'œuvres brèves, poésie, théâtre, nouvelles. « Trois caractères frappent alors dans tout ce qu'il écrit, et plus qu'ailleurs dans ses nouvelles et son théâtre : la légèreté, le souci de vérité, l'optimisme social » (Gastinel, *op. cit.*, p. 538). M. Gastinel conclut (p. 540) : « L'œuvre de Musset présente alors les caractères de la conversation des salons, mais élevés jusqu'à la littérature. »

M. A. Brun a développé cette idée (*op. cit.*, p. 124) et mis en relief les caractères essentiels du style : « *Un Caprice* nous offre le modèle

une conversation mondaine à la française, celle qu'on a pu entendre
ıns les salons parisiens, au temps où il y avait une bonne société [...].
lle est présentée ici à l'état pur, sans intrusion de phraséologie ou de
ɔésie romantiques. Elle évite les grands mots, les mots étrangers ou
:dants, elle évite la phrase emphatique et complexe, tout ce qui dans
parler serait littérature, sans exclure toutefois l'image spontané-
ent jaillie, ou le tour spirituel [...] C'est en somme le vocabulaire
: tous les jours qui est là, mais utilisé avec une économie, une pro-
riété, un souci net et direct, qui justement créent l'élégance et la
stinction » (*op. cit.*, p. 124).

Geneviève Casile et Jacques Toja dans la dernière mise en scène d'« un Caprice » à la Comédie Française, en 1978, par Michel Etcheverry. Décor et costumes d'Olivier Etcheverry.

Photo © Agence de presse Bernand.

Mme de Léry. —
a pas là de quoi p
(sc. 6, l. 477)

Geneviève Casi
(Mathilde),
Annie Ducau
(Mme de Léry
et François Chau
(Chavigny)
Comédie-Française,

CLICHÉS LIPNITZKI

Chavigny. — A genoux ? Tant que vous voudrez (sc. 8, l. 760)

UN CAPRICE
1837

PERSONNAGES

M. de Chavigny.
Mathilde, sa femme.
Mme de Léry.
Un domestique.

Scène I. — *La scène se passe dans la chambre à coucher de Mathilde.*
MATHILDE, *seule, travaillant au filet.*

Encore un point, et j'ai fini. (*Elle sonne ; un domestique entre.*) Est-on venu de chez Janisset [1]? 1

le domestique. — Non, madame, pas encore.

mathilde. — C'est insupportable. Qu'on y retourne; dépêchez-vous. (*Le domestique sort.*) J'aurai dû prendre les premiers glands venus. Il est huit heures, il est à sa toilette; je suis sûre qu'il va venir ici avant que tout soit prêt. Ce sera encore un jour de retard. (*Elle se lève.*) Faire une bourse en cachette à son mari, cela passerait aux yeux de bien des gens pour un peu plus que romanesque. Après un an de mariage ! Qu'est-ce que Mme de Léry, par exemple, en dirait si elle le savait? Et lui-même, qu'en penserait-il? Bon ! il rira peut-être du mystère, mais il ne rira pas du cadeau. Pourquoi ce mystère, en effet? Je ne sais; il me semble que je n'aurais pas travaillé de si bon cœur devant lui. Cela aurait eu l'air de lui dire : « Voyez comme je pense à vous ! », cela ressemblerait à un reproche; tandis qu'en lui montrant mon petit travail fini, ce sera lui qui se dira que j'ai pensé à lui. 5 10 15

le domestique, *rentrant.* — On apporte cela à Madame de chez le bijoutier. (*Il donne un petit paquet à Mathilde.*) 20

mathilde. *Elle se rassied.* — Enfin ! Quand M. de Chavigny viendra, prévenez-moi. (*Le domestique sort.*) Nous allons donc, ma chère petite bourse [2], vous faire votre dernière toilette. Voyons si vous serez coquette avec ces glands-là? Pas mal. Comment serez-vous reçue, maintenant? Direz-vous tout le plaisir qu'on 25

---

1. Bijoutier et joaillier, passage des Panoramas, 61, d'après l'*Almanach du Commerce pour 1837* éd. Allem, p. 848). — 2. Aimée d'Alton a recopié ce passage (jusqu'à la ligne 29), ainsi qu'un fragment du *Fils du Titien*, au début de la copie des lettres de Musset, à elle adressées. Peut-être était-ce le texte du billet qui accompagnait l'envoi de la bourse. Peut-être a-t-elle simplement recopié le texte du *Caprice*.

a eu à vous faire, tout le soin qu'on a pris de votre petite personne? On ne s'attend pas à vous, mademoiselle. On n'a voulu vous montrer que dans tous vos atours. Aurez-vous un baiser pour votre peine? (*Elle baise sa bourse et s'arrête.*) Pauvre petite ! tu ne vaux pas grand-chose, on ne te vendrait pas deux louis. Comment se fait-il qu'il me semble triste de me séparer de toi? N'as-tu pas été commencée pour être finie le plus vite possible? Ah ! tu as été commencée plus gaiement que je ne t'achève. Il n'y a pourtant que quinze jours de cela ! que quinze jours, est-ce possible? Non, pas davantage, et que de choses en quinze jours ! Arrivons-nous trop tard, petite?... Pourquoi de telles idées? On vient, je crois; c'est lui; il m'aime encore !

LE DOMESTIQUE, *entrant.* — Voilà M. le Comte, Madame.

MATHILDE. — Ah ! mon Dieu ! je n'ai mis qu'un gland et j'ai oublié l'autre. Sotte que je suis, je ne pourrai pas encore la lui donner aujourd'hui ! Qu'il attende un instant, une minute, au salon; vite, avant qu'il entre...

LE DOMESTIQUE. — Le voilà, Madame. (*Il sort. Mathilde cache sa bourse.*)

SCÈNE II. — MATHILDE, CHAVIGNY.

CHAVIGNY. — Bonsoir, ma chère; est-ce que je vous dérange?

MATHILDE. — Moi, Henri ! quelle question !

CHAVIGNY. — Vous avez l'air troublé, préoccupé. J'oublie toujours, quand j'entre chez vous, que je suis votre mari, et je pousse la porte trop vite.

MATHILDE. — Il y a là un peu de méchanceté, mais comme il y a aussi un peu d'amour, je ne vous embrasserai pas moins. (*Elle l'embrasse.*) Qu'est-ce que vous croyez donc être, monsieur, quand vous oubliez que vous êtes mon mari?

CHAVIGNY. — Ton amant, ma belle; est-ce que je me trompe?

MATHILDE. — Amant et ami, tu ne te trompes pas. (*A part.*) J'ai envie de lui donner la bourse comme elle est.

CHAVIGNY. — Quelle robe as-tu donc? Tu ne sors pas?

MATHILDE. — Non, je voulais... j'espérais que peut-être...

CHAVIGNY. — Vous espériez? Qu'est-ce que c'est donc?

MATHILDE. — Tu vas au bal? tu es superbe.

CHAVIGNY. — Pas trop; je ne sais si c'est ma faute ou celle du tailleur, mais je n'ai plus ma tournure du régiment.

MATHILDE. — Inconstant ! Vous ne pensez pas à moi, en vous mirant dans cette glace.

CHAVIGNY. — Bah ! A qui donc? Est-ce que je vais au bal pour danser? Je vous jure bien que c'est une corvée, et que je m'y traîne sans savoir pourquoi.

ATHILDE. — Eh bien ! restez, je vous en supplie. Nous serons seuls, et je vous dirai...

HAVIGNY. — Il me semble que ta pendule avance; il ne peut pas être si tard.

ATHILDE. — On ne va pas au bal à cette heure-ci, quoi que puisse dire la pendule. Nous sortons de table il y a un instant.

HAVIGNY. — J'ai dit d'atteler; j'ai une visite à faire.

ATHILDE. — Ah ! c'est différent. Je... je ne savais pas... j'avais cru...

HAVIGNY. — Eh bien?

ATHILDE. — J'avais supposé... d'après ce que tu disais... Mais la pendule va bien; il n'est que huit heures. Accordez-moi un petit moment. J'ai une petite surprise à vous faire.

HAVIGNY. — Vous savez, ma chère, que je vous laisse libre et que vous sortez quand il vous plaît. Vous trouverez juste que ce soit réciproque. Quelle surprise me destinez-vous?

ATHILDE. — Rien; je n'ai pas dit ce mot-là, je crois.

HAVIGNY. — Je me trompe donc, j'avais cru l'entendre. Avez-vous là ces valses de Strauss? Prêtez-les-moi, si vous n'en faites rien.

ATHILDE. — Les voilà; les voulez-vous maintenant?

HAVIGNY. — Mais oui, si cela ne vous gêne pas. On me les a demandées pour un ou deux jours. Je ne vous en priverai pas longtemps.

ATHILDE. — Est-ce pour Mme de Blainville?

HAVIGNY, *prenant les valses.* — Plaît-il? Ne parlez-vous pas de Mme de Blainville?

ATHILDE. — Moi ! non. Je n'ai pas parlé d'elle.

HAVIGNY. — Pour cette fois, j'ai bien entendu. (*Il s'assied.*) Qu'est-ce que vous dites de Mme de Blainville?

ATHILDE. — Je pensais que mes valses étaient pour elle.

HAVIGNY. — Et pourquoi pensiez-vous cela?

ATHILDE. — Mais parce que... parce qu'elle les aime.

HAVIGNY. — Oui, et moi aussi, et vous aussi, je crois? Il y en a une surtout, comment est-ce donc? Je l'ai oubliée... Comment dit-elle donc?

ATHILDE. — Je ne sais pas si je m'en souviendrai. (*Elle se met au piano et joue.*)

HAVIGNY. — C'est cela même ! C'est charmant, divin, et vous la jouez comme un ange, ou, pour mieux dire, comme une vraie valseuse [1].

ATHILDE. — Est-ce aussi bien qu'elle, Henri [2]?

---

1. Le mot *valseur* venait d'être admis par l'Académie en 1835. La vogue de la valse com-ençait. Johann Strauss avait trente et un ans. — 2. M. de Chavigny s'appelle *Henri*, mme Fantasio, comme le correspondant du *Roman par lettres*, comme le Faust de Gœthe.

CHAVIGNY. — Qui, elle? Mme de Blainville? vous y tenez, à ce qu'il paraît.
MATHILDE. — Oh ! pas beaucoup. Si j'étais homme, ce n'est pas elle qui me tournerait la tête.
CHAVIGNY, *se levant.* — Et vous auriez raison, madame. Il ne faut jamais qu'un homme se laisse tourner la tête, ni par une femme ni par une valse.
MATHILDE. — Comptez-vous jouer ce soir, mon ami?
CHAVIGNY. — Eh ! ma chère, quelle idée avez-vous? On joue, mais on ne compte pas jouer.
MATHILDE. — Avez-vous de l'or dans vos poches?
CHAVIGNY. — Peut-être bien. Est-ce que vous en voulez?
MATHILDE. — Moi, grand Dieu ! Que voulez-vous que j'en fasse?
CHAVIGNY. — Pourquoi pas? Si j'ouvre votre porte trop vite, je n'ouvre pas du moins vos tiroirs, et c'est peut-être un double tort que j'ai.
MATHILDE. — Vous mentez, monsieur. Il n'y a pas longtemps que je me suis aperçue que vous les aviez ouverts, et vous me laissez beaucoup trop riche.
CHAVIGNY. — Non pas, ma chère, tant qu'il y aura des pauvres. Je sais quel usage vous faites de votre fortune, et je vous demande la permission de faire la charité par vos mains.
MATHILDE. — Cher Henri ! que tu es noble et bon ! Dis-moi un peu. Te souviens-tu d'un jour où tu avais une petite dette à payer, et où tu te plaignais de n'avoir pas de bourse?
CHAVIGNY. — Quand donc? Ah ! c'est juste. Le fait est que, lorsqu'on sort, c'est une chose insupportable de se fier à des poches qui ne tiennent à rien...
MATHILDE. — Aimerais-tu une bourse rouge avec un filet noir?
CHAVIGNY. — Non, je n'aime pas le rouge. Parbleu ! tu me fais penser que j'ai justement là une bourse toute neuve d'hier; c'est un cadeau. Qu'en pensez-vous? Est-ce de bon goût? (*Il tire une bourse de sa poche.*)
MATHILDE. — Voyons, voulez-vous me la montrer?
CHAVIGNY. — Tenez. (*Il la lui donne ; elle la regarde, puis la lui rend.*)
MATHILDE. — C'est très joli. De quelle couleur est-elle?
CHAVIGNY, *riant.* — De quelle couleur? La question est excellente.
MATHILDE. — Je me trompe... Je veux dire... Qui est-ce qui vous l'a donnée?
CHAVIGNY. — Ah ! c'est trop plaisant ! sur mon honneur ! vos distractions sont adorables.
LE DOMESTIQUE, *annonçant.* — Mme de Léry.
MATHILDE. — J'ai défendu ma porte en bas.
CHAVIGNY. — Non, non, qu'elle entre. Pourquoi ne pas la recevoir?
MATHILDE. — Eh bien ! enfin, monsieur, cette bourse, peut-on savoir le nom de l'auteur?

Scène III. — MATHILDE, CHAVIGNY; Mme DE LÉRY, *en toilette de bal.*

HAVIGNY. — Venez, madame, venez, je vous en prie; on n'arrive pas plus à propos. Mathilde vient de me faire une étourderie qui, en vérité, vaut son pesant d'or. Figurez-vous que je lui montre cette bourse...

ADAME DE LÉRY. — Tiens ! c'est assez gentil. Voyons donc. 160

HAVIGNY. — Je lui montre cette bourse; elle la regarde, la tâte, la retourne, et en me la rendant, savez-vous ce qu'elle me dit? Elle me demande de quelle couleur elle est !

ADAME DE LÉRY. — Eh bien ! elle est bleue.

HAVIGNY. — Eh, oui, elle est bleue... C'est bien certain... et c'est 165 précisément le plaisant de l'affaire... Imaginez-vous qu'on le demande?

ADAME DE LÉRY. — C'est parfait. Bonsoir, chère Mathilde; venez-vous ce soir à l'Ambassade?

ATHILDE. — Non, je compte rester. 170

HAVIGNY. — Mais vous ne riez pas de mon histoire?

ADAME DE LÉRY. — Mais si. Et qui est-ce qui a fait cette bourse? Ah ! je la reconnais, c'est Mme de Blainville. Comment ! vraiment vous ne bougez pas?

HAVIGNY, *brusquement.* — A quoi la reconnaissez-vous, s'il vous 175 plaît?

ADAME DE LÉRY. — A ce qu'elle est bleue justement. Je l'ai vue traîner pendant des siècles; on a mis sept ans à la faire, et vous jugez si pendant ce temps-là elle a changé de destination. Elle a appartenu en idée à trois personnes de ma connaissance. 180 C'est un trésor que vous avez là, monsieur de Chavigny; c'est un vrai héritage que vous avez fait.

HAVIGNY. — On dirait qu'il n'y a qu'une bourse au monde.

ADAME DE LÉRY. — Non, mais il n'y a qu'une bourse bleue. D'abord, moi, le bleu m'est odieux; ça ne veut rien dire, c'est 185 une couleur bête. Je ne peux pas me tromper sur une chose pareille; il suffit que je l'aie vue une fois. Autant j'adore le lilas, autant je déteste le bleu.

ATHILDE. — C'est la couleur de la constance.

ADAME DE LÉRY. — Bah ! c'est la couleur des perruquiers. Je ne 190 viens qu'en passant, vous voyez, je suis en grand uniforme; il faut arriver de bonne heure dans ce pays-là; c'est une cohue à se casser le cou. Pourquoi donc ne venez-vous pas? Je n'y manquerais pas pour un monde.

MATHILDE. — Je n'y ai pas pensé, et il est trop tard à présent.

MADAME DE LÉRY. — Laissez donc, vous avez tout le temps. Tenez, chère, je vais sonner. Demandez une robe. Nous mettrons M. de Chavigny à la porte, avec son petit meuble. Je vous coiffe, je vous pose deux brins de fleurettes, et je vous enlève dans ma voiture. Allons, voilà une affaire bâclée.

MATHILDE. — Pas pour ce soir; je reste décidément.

MADAME DE LÉRY. — Décidément ! est-ce un parti pris? Monsieur de Chavigny, amenez donc Mathilde.

CHAVIGNY, *sèchement*. — Je ne me mêle des affaires de personne.

MADAME DE LÉRY. — Oh ! oh ! vous aimez le bleu, à ce qu'il paraît. Eh bien, écoutez; savez-vous ce que je vais faire? Donnez-moi du thé, je vais rester ici.

MATHILDE. — Que vous êtes gentille, chère Ernestine ! Non, je ne veux pas priver ce bal de sa reine. Allez me faire un tour de valse, et revenez à onze heures, si vous y pensez; nous causerons seules au coin du feu, puisque M. de Chavigny nous abandonne.

CHAVIGNY. — Moi ! pas du tout; je ne sais si je sortirai.

MADAME DE LÉRY. — Eh bien ! c'est convenu, je vous quitte. A propos, vous savez mes malheurs? j'ai été volée comme dans un bois.

MATHILDE. — Volée ! qu'est-ce que vous voulez dire?

MADAME DE LÉRY. — Quatre robes, ma chère, quatre amours de robes qui me venaient de Londres, perdues à la douane. Si vous les aviez vues, c'est à en pleurer. Il y en avait une perse [1] et une puce !... on ne fera jamais rien de pareil.

MATHILDE. — Je vous plains bien sincèrement. On vous les a donc confisquées?

MADAME DE LÉRY. — Pas du tout. Si ce n'était que cela, je crierais tant qu'on me les rendrait, car c'est un meurtre. Me voilà nue pour cet été [2]. Imaginez qu'ils m'ont lardé mes robes; ils ont fourré leur sonde je ne sais par où dans ma caisse, ils m'ont fait des trous à y mettre un doigt. Voilà ce qu'on m'apporte hier à déjeuner.

CHAVIGNY. — Il n'y en avait pas de bleue, par hasard?

MADAME DE LÉRY. — Non, monsieur, pas la moindre. Adieu, belle; je ne fais qu'une apparition. J'en suis, je crois, à ma douzième grippe de l'hiver; je vais attraper ma treizième. Aussitôt fait, j'accours, et je me plonge dans vos fauteuils. Nous causerons douane, chiffons, pas vrai? Non, je suis toute triste, nous ferons du sentiment. Enfin, n'importe ! Bonsoir, monsieur de l'Azur... Si vous me reconduisez, je ne reviens pas.

---

1. Féminin de *pers* : d'un bleu tirant sur le violet. — 2. Cf. La Bruyère (XIII, 14) : « Iph[illegible] voit à l'église un soulier d'une nouvelle mode, il regarde le sien, et en rougit, il ne se croit pl[illegible] habillé. »

SCÈNE IV. — CHAVIGNY, MATHILDE.

CHAVIGNY. — Quel cerveau fêlé que cette femme ! Vous choisissez bien vos amies.

MATHILDE. — C'est vous qui avez voulu qu'elle montât.

CHAVIGNY. — Je parierais que vous croyez que c'est Mme de Blainville qui a fait ma bourse. 240

MATHILDE. — Non, puisque vous me dites le contraire.

CHAVIGNY. — Je suis sûr que vous le croyez.

MATHILDE. — Et pourquoi en êtes-vous sûr ?

CHAVIGNY. — Parce que je connais votre caractère. Mme de Léry est votre oracle ! C'est une idée qui n'a pas le sens commun. 245

MATHILDE. — Voilà un beau compliment que je ne mérite guère.

CHAVIGNY. — Oh ! mon Dieu, si ; et j'aimerais tout autant vous voir franche là-dessus que dissimulée.

MATHILDE. — Mais si je ne le crois pas, je ne puis feindre de le croire pour vous paraître sincère. 250

CHAVIGNY. — Je vous dis que vous le croyez ; c'est écrit sur votre visage.

MATHILDE. — S'il faut le dire pour vous satisfaire, eh bien ! j'y consens, je le crois. 255

CHAVIGNY. — Vous le croyez ? et quand cela serait vrai, quel mal y aurait-il ?

MATHILDE. — Aucun, et par cette raison je ne vois pas pourquoi vous le nieriez.

CHAVIGNY. — Je ne le nie pas ; c'est elle qui l'a faite. — Bonsoir, je reviendrai peut-être tout à l'heure prendre le thé avec votre amie. 260

MATHILDE. — Henri, ne me quittez pas ainsi.

CHAVIGNY. — Qu'appelez-vous ainsi ? Sommes-nous fâchés ? Je ne vois là rien que de très simple : on me fait une bourse, et je la porte ; vous demandez qui, et je vous le dis. Rien ne ressemble moins à une querelle. 265

MATHILDE. — Et si je vous demandais cette bourse, m'en feriez-vous le sacrifice ?

CHAVIGNY. — Peut-être. A quoi vous servirait-elle ? 270

MATHILDE. — Il n'importe ; je vous la demande.

CHAVIGNY. — Ce n'est pas pour la porter, je suppose ; je veux savoir ce que vous en feriez.

MATHILDE. — C'est pour la porter.

CHAVIGNY. — Quelle plaisanterie ! Vous porterez une bourse faite par Mme de Blainville ? 275

MATHILDE. — Pourquoi non ? Vous la portez bien.

CHAVIGNY. — La belle raison ! je ne suis pas femme.

MATHILDE. — Eh bien ! si je ne m'en sers pas, je la jetterai au feu.

CHAVIGNY. — Ah ! ah ! vous voilà donc enfin sincère. Eh bien ! très sincèrement aussi, je la garderai, si vous permettez. 280

MATHILDE. — Vous en êtes libre, assurément; mais je vous avoue qu'il m'est cruel de penser que tout le monde sait qui vous l'a faite, et que vous allez la montrer partout.

CHAVIGNY. — La montrer ! Ne dirait-on pas que c'est un trophée? 285

MATHILDE. — Écoutez-moi, je vous en prie, et laissez-moi votre main dans les miennes. M'aimez-vous, Henri? Répondez.

CHAVIGNY. — Je vous aime, et je vous écoute.

MATHILDE. — Je vous jure que je ne suis pas jalouse, mais si vous me donnez cette bourse de bonne amitié, je vous remercierai de tout mon cœur. C'est un petit échange que je vous propose, et je crois, j'espère du moins, que vous ne trouverez pas que vous y perdez. 290

CHAVIGNY. — Voyons votre échange; qu'est-ce que c'est?

MATHILDE. — Je vais vous le dire, si vous y tenez. Mais si vous me donniez la bourse auparavant, sur parole, vous me rendriez bien heureuse. 295

CHAVIGNY. — Je ne donne rien sur parole.

MATHILDE. — Voyons, Henri, je vous en prie.

CHAVIGNY. — Non. 300

MATHILDE. — Eh bien, je t'en supplie à genoux. (*Elle s'incline.*)

CHAVIGNY. — Levez-vous, Mathilde, je vous en conjure à mon tour; vous savez que je n'aime pas ces manières-là. Je ne peux pas souffrir qu'on s'abaisse, et je le comprends moins ici que jamais. C'est trop insister sur un enfantillage; si vous l'exigiez sérieusement, je jetterais cette bourse au feu moi-même, et je n'aurais que faire d'échange pour cela. Allons, levez-vous, et n'en parlons plus. Adieu, à ce soir, je reviendrai. 305

SCÈNE V. — MATHILDE, *seule.*

Puisque ce n'est pas celle-là, ce sera donc l'autre que je brûlerai. (*Elle va à son secrétaire et en tire la bourse qu'elle a faite.*) Pauvre petite, je te baisais tout à l'heure, et te souviens-tu de ce que je te disais? Nous arrivons trop tard, tu le vois. Il ne veut pas de toi, et ne veut plus de moi. (*Elle s'approche de la cheminée.*) Qu'on est folle de faire des rêves ! Ils ne se réalisent jamais. Pourquoi cet attrait, ce charme invincible qui nous fait caresser une idée? Pourquoi tant de plaisir à la suivre, à l'exécuter en secret? A quoi bon tout cela? A pleurer ensuite. Que demande donc l'impitoyable hasard? Quelles précautions, quelles prières faut-il donc pour mener à bien le souhait le plus simple, la plus chétive espérance? Vous avez bien dit, monsieur le Comte, j'insiste sur un enfantillage, mais il m'était doux d'y insister; 310 315 320 et vous, si fier ou si infidèle, il ne vous eût pas coûté beaucoup de vous prêter à cet enfantillage. Ah ! il ne m'aime plus, il ne m'aime plus. Il vous aime, madame de Blainville ! (*Elle pleure.*) Allons, il n'y faut plus penser. Jetons au feu ce hochet d'enfant 325 qui n'a pas su arriver assez vite; si je le lui avais donné ce soir, il l'aurait peut-être perdu demain. Ah ! sans nul doute, il l'aurait fait; il laisserait ma bourse traîner sur sa table, je ne sais où, dans ses rebuts [1], tandis que l'autre le suivra partout, tandis qu'en jouant, à l'heure qu'il est, il la tire avec orgueil; 330 je le vois l'étaler sur le tapis, et faire résonner l'or qu'elle renferme... Malheureuse ! je suis jalouse... Il me manquait cela pour me faire haïr. (*Elle va jeter la bourse au feu, et s'arrête.*) Mais qu'as-tu fait? Pourquoi te détruire, triste ouvrage de mes mains? il n'y a pas de ta faute; tu attendais, tu espérais aussi ! 335 Tes fraîches couleurs n'ont point pâli durant cet entretien cruel... Tu me plais, je sens que je t'aime... Dans ce petit réseau [2] fragile, il y a quinze jours de ma vie ! Ah ! non, non, la main qui t'a faite ne te tuera pas. Je veux te conserver, je veux t'achever; tu seras pour moi une relique, et je te porterai 340 sur mon cœur; tu m'y feras en même temps du bien et du mal; tu me rappelleras mon amour pour lui, son oubli, ses caprices, et qui sait? cachée à cette place, il reviendra peut-être t'y chercher. (*Elle s'assied et attache le gland qui manquait.*)

Scène VI. — MATHILDE, MADAME DE LÉRY.

MADAME DE LÉRY, *derrière la scène.* — Personne nulle part ! qu'est-ce 345 que ça veut dire? on entre ici comme dans un moulin. (*Elle ouvre la porte et crie en riant :*) Madame de Léry ! (*Elle entre, Mathilde se lève.*) Rebonsoir, chère [3]...; pas de domestique chez vous; je cours partout pour trouver quelqu'un. Ah ! je suis rompue ! (*Elle s'assied.*) 350

MATHILDE. — Eh bien, ce bal était-il beau?

MADAME DE LÉRY. — Ah ! mon Dieu, ce bal ! mais je n'en viens pas. Vous ne croiriez jamais ce qui m'arrive.

MATHILDE. — Vous n'y êtes donc pas allée?

MADAME DE LÉRY. — Si fait, j'y suis allée, mais je n'y suis pas entrée. 355 C'est à mourir de rire. Figurez-vous une queue... une queue...

1. Choses qu'on ne veut pas conserver. — 2. La bourse est faite de fils (de soie, d'or, d'argent) en forme de *filet* (voir p. 105). — 3. « Pendant une répétition du *Caprice*, de la coulisse où il était, il [Musset] entendit M. Samson caché dans les profondeurs de l'orchestre crier du ton d'un homme scandalisé : *Rebonsoir, chère ! En quelle langue est cela ?* » (Paul de Musset, *op. cit.*, p. 258). Paul aurait raconté oralement la suite : « Un nez alors se montra brusquement derrière les portants. Celui d'Alfred de Musset, qui répliqua : « Dans la langue des femmes du monde que les comédiens ne peuvent pas connaître » (éd. Allem, note 4, p. 848).

(*Elle éclate de rire.*) Ces choses-là vous font-elles peur, à vous?

MATHILDE. — Mais oui; je n'aime pas les embarras de voitures.

MADAME DE LÉRY. — C'est désolant quand on est seule. J'avais beau crier au cocher d'avancer, il ne bougeait pas; j'étais d'une colère ! j'avais envie de monter sur le siège; je vous réponds bien que j'aurais coupé leur queue. Mais c'est si bête d'être là, en toilette, vis-à-vis d'un carreau [1] mouillé ! car avec cela il pleut à verse. Je me suis divertie une demi-heure à voir patauger les passants, et puis j'ai dit de retourner. Voilà mon bal. — Ce feu me fait un plaisir ! je me sens renaître ! (*Mathilde sonne, et le domestique entre.*)

MATHILDE. — Le thé. (*Le domestique sort.*)

MADAME DE LÉRY. — M. de Chavigny est donc parti?

MATHILDE. — Oui, je pense qu'il va à ce bal, et il sera plus obstiné que vous.

MADAME DE LÉRY. — Je crois qu'il ne m'aime guère, soit dit entre nous.

MATHILDE. — Vous vous trompez, je vous assure; il m'a dit cent fois qu'à ses yeux vous étiez une des plus jolies femmes de Paris.

MADAME DE LÉRY. — Vraiment? c'est très poli de sa part; mais je le mérite, car je le trouve fort bien. Voulez-vous me prêter une épingle?

MATHILDE. — Vous en avez à côté de vous.

MADAME DE LÉRY. — Cette Palmire [2] vous fait des robes, on ne se sent pas des épaules, on croit toujours que tout va tomber. Est-ce elle qui vous fait ces manches-là?

MATHILDE. — Oui.

MADAME DE LÉRY. — Très jolies, très bien, très jolies. Décidément, il n'y a que les manches plates, mais j'ai été longtemps à m'y faire; et puis je trouve qu'il ne faut pas être trop grasse pour les porter, parce que sans cela on a l'air d'une cigale, avec un gros corps et de petites pattes.

MATHILDE. — J'aime assez la comparaison. (*On apporte le thé.*)

MADAME DE LÉRY. — N'est-ce pas? Regardez Mlle Saint-Ange. Il ne faut pourtant pas être trop maigre non plus, parce qu'alors il ne reste plus rien. On se récrie sur la marquise d'Ermont; moi, je trouve qu'elle a l'air d'une potence. C'est une belle tête, si vous voulez; mais c'est une madone au bout d'un bâton.

MATHILDE, *riant.* — Voulez-vous que je vous serve, ma chère?

MADAME DE LÉRY. — Rien que de l'eau chaude, avec un soupçon de thé et un nuage de lait.

MATHILDE, *servant le thé.* — Allez-vous demain chez Mme d'Égly? Je vous prendrai si vous voulez.

---

1. Une vitre. — 2. M. Allem précise (p. 849) : « Mlles Palmire Chartier et Legrand, couturières, fournisseurs *de la Reine, de la Reine des Belges et des princesses Marie et Clémentine, rue Laffitte,* 11 », selon l'*Almanach du Commerce* pour 1837.

MADAME DE LÉRY. — Ah ! Mme d'Égly ! en voilà une autre ! avec sa frisure [1] et ses jambes, elle me fait l'effet de ces grands balais pour épousseter les araignées. Mais, certainement, j'irai demain. (*Elle boit.*) Non, je ne peux pas; je vais au concert. 400

MATHILDE. — Il est vrai qu'elle est un peu drôle.

MADAME DE LÉRY. — Regardez-moi donc, je vous en prie. 405

MATHILDE. — Pourquoi?

MADAME DE LÉRY. — Regardez-moi en face, là, franchement.

MATHILDE. — Que me trouvez-vous d'extraordinaire?

MADAME DE LÉRY. — Eh ! certainement, vous avez les yeux rouges; vous venez de pleurer, c'est clair comme le jour. Qu'est-ce qui se passe donc, ma chère Mathilde? 410

MATHILDE. — Rien, je vous jure. Que voulez-vous qu'il se passe?

MADAME DE LÉRY. — Je n'en sais rien, mais vous venez de pleurer; je vous dérange, je m'en vais.

MATHILDE. — Au contraire, chère, je vous supplie de rester. 415

MADAME DE LÉRY. — Est-ce bien franc? je reste si vous voulez, mais vous me direz vos peines. (*Mathilde secoue la tête.*) Non? Alors je m'en vais, car vous comprenez que, du moment que je ne suis bonne à rien, je ne peux que nuire involontairement.

MATHILDE. — Restez ! Votre présence m'est précieuse, votre esprit m'amuse, et s'il était vrai que j'eusse quelque souci, votre gaieté le chasserait. 420

MADAME DE LÉRY. — Tenez, je vous aime. Vous me croyez peut-être légère; personne n'est si sérieuse que moi pour les choses sérieuses. Je ne comprends pas qu'on joue avec le cœur, et c'est pour cela que j'ai l'air d'en manquer. Je sais ce que c'est que de souffrir, on me l'a appris bien jeune encore. Je sais aussi ce que c'est de dire ses chagrins. Si ce qui vous afflige peut se confier, parlez hardiment; ce n'est pas la curiosité qui me pousse. 425

MATHILDE. — Je vous crois bonne, et surtout très sincère, mais dispensez-moi de vous obéir. 430

MADAME DE LÉRY. — Ah ! mon Dieu, j'y suis ! c'est la bourse bleue. J'ai fait une sottise affreuse en nommant Mme de Blainville. J'y ai pensé en vous quittant... Est-ce que M. de Chavigny lui fait la cour? (*Mathilde se lève, ne pouvant répondre, se détourne, et porte son mouchoir à ses yeux.*) 435

MADAME DE LÉRY. — Est-il possible? (*Un silence. Mathilde se promène quelque temps, puis va s'asseoir à l'autre bout de la chambre. Mme de Léry semble réfléchir. Elle se lève et s'approche de Mathilde; celle-ci lui tend la main.*) 440

MADAME DE LÉRY. — Vous savez, ma chère, que les dentistes vous disent de crier, quand ils vous font mal. Moi, je vous dis :

---

1. Ses boucles de cheveux frisés. Le mot était plus souvent utilisé au pluriel.

Pleurez ! pleurez ! Douces ou amères, les larmes soulagent toujours.

MATHILDE. — Ah ! mon Dieu ! 445

MADAME DE LÉRY. — Mais, c'est incroyable, une chose pareille ! On ne peut pas aimer Mme de Blainville; c'est une coquette à moitié perdue, qui n'a ni esprit ni beauté. Elle ne vaut pas votre petit doigt ! On ne quitte pas un ange pour un diable.

MATHILDE, *sanglotant.* — Je suis sûre qu'il l'aime, j'en suis sûre. 450

MADAME DE LÉRY. — Non, mon enfant, ça ne se peut pas; c'est un caprice, une fantaisie. Je connais M. de Chavigny plus qu'il ne pense; il est méchant, mais il n'est pas mauvais [1]. Il aura agi par boutade; avez-vous pleuré devant lui?

MATHILDE. — Oh ! non, jamais ! 455

MADAME DE LÉRY. — Vous avez bien fait; il ne m'étonnerait pas qu'il en fût bien aise.

MATHILDE. — Bien aise? bien aise de me voir pleurer?

MADAME DE LÉRY. — Eh ! mon Dieu, oui ! J'ai vingt-cinq ans d'hier, mais je sais ce qui en est sur bien des choses. Comment tout 460 cela est-il venu?

MATHILDE. — Mais... je ne sais...

MADAME DE LÉRY. — Parlez. Avez-vous peur de moi? je vais vous rassurer tout de suite. Si, pour vous mettre à votre aise, il faut m'engager de mon côté, je vais vous prouver que j'ai confiance 465 en vous, et vous forcer à l'avoir en moi; est-ce nécessaire? je le ferai. Qu'est-ce qu'il vous plaît de savoir sur mon compte?

MATHILDE. — Vous êtes ma meilleure amie; je vous dirai tout, je me fie à vous. Il ne s'agit de rien de bien grave, mais j'ai une folle tête qui m'entraîne. J'avais fait en cachette pour M. de 470 Chavigny une petite bourse que je comptais lui offrir aujourd'hui. Depuis quinze jours je le vois à peine; il passe ses journées chez Mme de Blainville. Lui offrir ce petit cadeau, c'était lui faire un doux reproche de son absence, et lui montrer qu'il me laissait seule. Au moment où j'allais lui donner ma bourse, 475 il a tiré l'autre.

MADAME DE LÉRY. — Il n'y a pas là de quoi pleurer.

MATHILDE. — Oh ! si, il y a de quoi pleurer, car j'ai fait une grande folie; je lui ai demandé l'autre bourse.

MADAME DE LÉRY. — Aïe ! ce n'est pas diplomatique. 480

MATHILDE. — Non, Ernestine, et il m'a refusé... Et alors... Ah ! j'ai honte...

MADAME DE LÉRY. — Eh bien?

MATHILDE. — Eh bien, je l'ai demandée à genoux. Je voulais qu'il me fît ce petit sacrifice, et je lui aurais donné ma bourse en 485 échange de la sienne. Je l'ai prié... je l'ai supplié...

---

1. Mme de Léry semble vouloir distinguer l'intention du fait.

MADAME DE LÉRY. — Et il n'en a rien fait, cela va sans dire. Pauvre innocente ! Il n'est pas digne de vous.
MATHILDE. — Ah ! malgré tout, je ne le croirai jamais !
MADAME DE LÉRY. — Vous avez raison, je m'exprime mal. Il est digne de vous, et vous aime, mais il est homme et orgueilleux. Quelle pitié ! Et où est donc votre bourse? 490
MATHILDE. — La voilà ici sur la table.
MADAME DE LÉRY, *prenant la bourse*. — Cette bourse-là? Eh bien, ma chère, elle est quatre fois plus jolie que la sienne. D'abord elle n'est pas bleue, ensuite elle est charmante. Prêtez-la-moi, je me charge bien de la lui faire trouver de son goût. 495
MATHILDE. — Tâchez. Vous me rendrez la vie.
MADAME DE LÉRY. — En être là après un an de mariage, c'est inouï ! Il faut qu'il y ait de la sorcellerie là-dedans. Cette Blainville, avec son indigo, je la déteste des pieds à la tête. Elle a les yeux battus jusqu'au menton. Mathilde, voulez-vous faire une chose? Il ne nous en coûte rien d'essayer. Votre mari viendra-t-il ce soir? 500
MATHILDE. — Je n'en sais rien. 505
MADAME DE LÉRY. — Comment étiez-vous quand il est sorti?
MATHILDE. — Ah ! j'étais bien triste, et lui bien sévère !
MADAME DE LÉRY. — Il viendra. Avez-vous du courage? Quand j'ai une idée, je vous en avertis, il faut que je me saisisse au vol; je me connais, je réussirai. 510
MATHILDE. — Ordonnez donc, je me soumets.
MADAME DE LÉRY. — Passez dans ce cabinet, habillez-vous à la hâte, et jetez-vous dans ma voiture. Je ne veux pas vous envoyer au bal, mais il faut qu'en rentrant vous ayez l'air d'y être allée. Vous vous ferez mener où vous voudrez, aux Invalides ou à la Bastille. Ce ne sera peut-être pas très divertissant, mais vous serez aussi bien là qu'ici pour ne pas dormir. Est-ce convenu? Maintenant, prenez votre bourse, et enveloppez-la dans ce papier; je vais mettre l'adresse. Bien, voilà qui est fait. Au coin de la rue, vous ferez arrêter, vous direz à mon groom d'apporter ici ce petit paquet, de le remettre au premier domestique qu'il rencontrera, et de s'en aller sans autre explication. 515 520
MATHILDE. — Dites-moi du moins ce que vous voulez faire?
MADAME DE LÉRY. — Ce que je veux faire, enfant, est impossible à dire et je vais voir si c'est possible à faire. Une fois pour toutes, vous fiez-vous à moi? 525
MATHILDE. — Oui, tout au monde pour l'amour de lui.
MADAME DE LÉRY. — Allons, preste ! Voilà une voiture.
MATHILDE. — C'est lui; j'entends sa voix dans la cour.
MADAME DE LÉRY. — Sauvez-vous. Y a-t-il un escalier dérobé par là? 530
MATHILDE. — Oui, heureusement. Mais je ne suis pas coiffée; comment croira-t-on à ce bal?

MADAME DE LÉRY, *ôtant la guirlande qu'elle a sur la tête et la donnant à Mathilde.* — Tenez, vous arrangerez cela en route. (*Mathilde sort.*) 535

SCÈNE VII. — MADAME DE LÉRY, *seule.*

A genoux ! une telle femme à genoux ! Et ce monsieur-là qui la refuse ! Une femme de vingt ans, belle comme un ange ! Pauvre enfant, qui demande en grâce qu'on daigne accepter une bourse faite par elle, en échange d'un cadeau de Mme de Blainville ! Mais quel abîme est donc le cœur de l'homme ! Ah ! ma foi ! 540 nous valons mieux qu'eux ! (*Elle s'assoit et prend une brochure sur la table. Un instant après on frappe à la porte.*) Entrez.

SCÈNE VIII. — MADAME DE LÉRY, CHAVIGNY.

MADAME DE LÉRY, *lisant d'un air distrait.* — Bonsoir, comte. Voulez-vous du thé?

CHAVIGNY. — Je vous rends grâce. Je n'en prends jamais. (*Il s'assied* 545 *et regarde autour de lui.*)

MADAME DE LÉRY. — Était-il amusant ce bal?

CHAVIGNY. — Comme cela. N'y étiez-vous pas?

MADAME DE LÉRY. — Voilà une question qui n'est pas galante. Non, je n'y étais pas, mais j'y ai envoyé Mathilde, que vos regards 550 semblent chercher.

CHAVIGNY. — Vous plaisantez, à ce que je vois?

MADAME DE LÉRY. — Plaît-il? Je vous demande pardon. Je tiens un article d'une *Revue* qui m'intéresse beaucoup. (*Un silence. Chavigny, inquiet, se lève et se promène.*) 555

CHAVIGNY. — Est-ce que vraiment Mathilde est à ce bal?

MADAME DE LÉRY. — Mais oui; vous voyez que je l'attends.

CHAVIGNY. — C'est singulier; elle ne voulait pas sortir lorsque vous le lui avez proposé.

MADAME DE LÉRY. — Apparemment qu'elle a changé d'idée. 560

CHAVIGNY. — Pourquoi n'y est-elle pas allée avec vous?

MADAME DE LÉRY. — Parce que je ne m'en suis plus souciée.

CHAVIGNY. — Elle s'est donc passée de voiture?

MADAME DE LÉRY. — Non, je lui ai prêté la mienne. Avez-vous lu ça, monsieur de Chavigny? 565

CHAVIGNY. — Quoi?

MADAME DE LÉRY. — C'est la *Revue des Deux Mondes*, un article très joli de Mme Sand sur les orangs-outangs [1].

CHAVIGNY. — Sur les?...

MADAME DE LÉRY. — Sur les orangs-outangs. Ah ! je me trompe; ce n'est pas d'elle, c'est celui d'à côté; c'est très amusant.

CHAVIGNY. — Je ne comprends rien à cette idée d'aller au bal sans m'en prévenir. J'aurais pu du moins la ramener.

MADAME DE LÉRY. — Aimez-vous les romans de Mme Sand?

CHAVIGNY. — Non, pas du tout. Mais si elle y est, comment se fait-il que je ne l'aie pas trouvée?

MADAME DE LÉRY. — Quoi? la *Revue*? Elle était là-dessus.

CHAVIGNY. — Vous moquez-vous de moi, madame?

MADAME DE LÉRY. — Peut-être; c'est selon à propos de quoi.

CHAVIGNY. — C'est de ma femme que je vous parle.

MADAME DE LÉRY. — Est-ce que vous me l'avez donnée à garder?

CHAVIGNY. — Vous avez raison, je suis très ridicule; je vais de ce pas la chercher.

MADAME DE LÉRY. — Bah ! vous allez tomber dans la queue.

CHAVIGNY. — C'est vrai; je ferai aussi bien d'attendre... et j'attendrai. (*Il s'approche du feu et s'assied.*)

MADAME DE LÉRY, *quittant sa lecture*. — Savez-vous, monsieur de Chavigny, que vous m'étonnez beaucoup? Je croyais vous avoir entendu dire que vous laissiez Mathilde parfaitement libre, et qu'elle allait où bon lui semblait?

CHAVIGNY. — Certainement; vous en voyez la preuve.

MADAME DE LÉRY. — Pas tant; vous avez l'air furieux.

CHAVIGNY. — Moi ! par exemple ! pas le moins du monde.

MADAME DE LÉRY. — Vous ne tenez pas sur votre fauteuil. Je vous croyais un tout autre homme, je l'avoue, et pour parler sérieusement je n'aurais pas prêté ma voiture à Mathilde, si j'avais su ce qui en est.

CHAVIGNY. — Mais je vous assure que je le trouve tout simple, et je vous remercie de l'avoir fait.

MADAME DE LÉRY. — Non, non, vous ne me remerciez pas; je vous assure, moi, que vous êtes fâché. A vous dire vrai, je crois que si elle est sortie c'était un peu pour vous rejoindre.

CHAVIGNY. — J'aime beaucoup cela ! Que ne m'accompagnait-elle?

MADAME DE LÉRY. — Hé ! oui, c'est ce que je lui ai dit. Mais voilà

1. Le mot venait d'être admis par l'Académie en 1835. « La distraction de Mme de Léry confondant un roman de George Sand avec un article sur les orangs-outangs peut sembler étrange; cependant le danger auquel elle s'expose en voulant amener un homme tel que Chavigny à lui faire une déclaration d'amour explique son agitation d'esprit au moment de commencer les hostilités. La *Revue des Deux Mondes* venait de publier, en effet, un article sur les orangs-outangs et un roman de Mme Sand, le premier dans le numéro du 15 mars 1837, le second dans la livraison du 1er avril » (Musset, *Œuvres*, éd. Lemerre, 1908, p. 407).

comme nous sommes, nous autres. Nous ne voulons pas, et puis nous voulons. Décidément, vous ne prenez pas de thé?

CHAVIGNY. — Non, il me fait mal.

MADAME DE LÉRY. — Eh bien ! donnez-m'en.

CHAVIGNY. — Plaît-il, madame?

MADAME DE LÉRY. — Donnez-m'en. (*Chavigny se lève et remplit une tasse, qu'il offre à Mme de Léry.*)

MADAME DE LÉRY. — C'est bon, mettez ça là. Avons-nous un ministère ce soir?

CHAVIGNY. — Je n'en sais rien.

MADAME DE LÉRY. — Ce sont de drôles d'auberges que ces ministères. On y entre et on en sort sans savoir pourquoi; c'est une procession de marionnettes.

CHAVIGNY. — Prenez donc ce thé, à votre tour; il est déjà à moitié froid.

MADAME DE LÉRY. — Vous n'y avez pas mis assez de sucre. Mettez-m'en un ou deux morceaux.

CHAVIGNY. — Comme vous voudrez, il ne vaudra rien.

MADAME DE LÉRY. — Bien. Maintenant, encore un peu de lait.

CHAVIGNY. — Êtes-vous satisfaite?

MADAME DE LÉRY. — Une goutte d'eau chaude à présent. Est-ce fait? Donnez-moi la tasse.

CHAVIGNY, *lui présentant la tasse.* — La voilà, mais il ne vaudra rien.

MADAME DE LÉRY. — Vous croyez? En êtes-vous sûr?

CHAVIGNY. — Il n'y a pas le moindre doute.

MADAME DE LÉRY. — Et pourquoi ne vaudra-t-il rien?

CHAVIGNY. — Parce qu'il est froid, et trop sucré.

MADAME DE LÉRY. — Eh bien ! s'il ne vaut rien, ce thé, jetez-le. (*Chavigny est debout, tenant la tasse. Mme de Léry le regarde en riant.*)

MADAME DE LÉRY. — Ah ! mon Dieu ! que vous m'amusez ! Je n'ai jamais rien vu de si maussade.

CHAVIGNY, *impatienté, vide la tasse dans le feu, puis se promène à grands pas, et dit avec humeur.* — Ma foi c'est vrai, je ne suis qu'un sot.

MADAME DE LÉRY. — Je ne vous avais jamais vu jaloux, mais vous l'êtes comme un Othello.

CHAVIGNY. — Pas le moins du monde. Je ne peux pas souffrir qu'on se gêne, ni qu'on gêne les autres en rien. Comment voulez-vous que je sois jaloux?

MADAME DE LÉRY. — Par amour-propre, comme tous les maris.

CHAVIGNY. — Bah ! propos de femme. On dit : « Jaloux par amour-propre », parce que c'est une phrase toute faite, comme on dit : « Votre très humble serviteur. » Le monde est bien sévère pour ces pauvres maris.

MADAME DE LÉRY. — Pas tant que pour ces pauvres femmes.

CHAVIGNY. — Oh ! mon Dieu si. Tout est relatif. Peut-on permettre aux femmes de vivre sur le même pied que nous? C'est d'une absurdité qui saute aux yeux. Il y a mille choses très graves

pour elles, qui n'ont aucune importance pour un homme.
MADAME DE LÉRY. — Oui, les caprices, par exemple.
CHAVIGNY. — Pourquoi pas? Eh bien ! oui, les caprices. Il est certain qu'un homme peut en avoir, et qu'une femme... 655
MADAME DE LÉRY. — En a quelquefois. Est-ce que vous croyez qu'une robe est un talisman qui en préserve?
CHAVIGNY. — C'est une barrière qui doit les arrêter.
MADAME DE LÉRY. — A moins que ce ne soit un voile qui les couvre. J'entends marcher; c'est Mathilde qui rentre. 660
CHAVIGNY. — Oh ! que non; il n'est pas minuit. (*Le domestique entre et remet un petit paquet à M. de Chavigny.*)
CHAVIGNY. — Qu'est-ce que c'est? Que me veut-on?
LE DOMESTIQUE. — On vient d'apporter cela pour monsieur le Comte. (*Il sort. Chavigny défait le paquet, qui renferme la bourse de Mathilde.*) 665
MADAME DE LÉRY. — Est-ce encore un cadeau qui vous arrive? A cette heure-ci, c'est un peu fort.
CHAVIGNY. — Que diable est-ce que ça veut dire? Hé ! François, hé ! qui est-ce qui a apporté ce paquet? 670
LE DOMESTIQUE, *rentrant.* — Monsieur?
CHAVIGNY. — Qui est-ce qui a apporté ce paquet?
LE DOMESTIQUE. — Monsieur, c'est le portier qui vient de monter.
CHAVIGNY. — Il n'y a rien avec? Pas de lettre? 675
LE DOMESTIQUE. — Non, monsieur.
CHAVIGNY. — Est-ce qu'il avait ça depuis longtemps, ce portier?
LE DOMESTIQUE. — Non, monsieur, on vient de le lui remettre.
CHAVIGNY. — Qui le lui a remis?
LE DOMESTIQUE. — Monsieur, il ne sait pas. 680
CHAVIGNY. — Il ne sait pas? Perdez-vous la tête? Est-ce un homme ou une femme?
LE DOMESTIQUE. — C'est un domestique en livrée, mais il ne le connaît pas.
CHAVIGNY. — Est-ce qu'il est en bas, ce domestique? 685
LE DOMESTIQUE. — Non, monsieur, il est parti sur-le-champ.
CHAVIGNY. — Il n'a rien dit?
LE DOMESTIQUE. — Non, monsieur.
CHAVIGNY. — C'est bon. (*Le domestique sort.*)
MADAME DE LÉRY. — J'espère qu'on vous gâte, monsieur de Chavigny. Si vous laissez tomber votre argent, ce ne sera pas la faute de ces dames. 690
CHAVIGNY. — Je veux être pendu si j'y comprends rien.
MADAME DE LÉRY. — Laissez donc, vous faites l'enfant.
CHAVIGNY. — Non, je vous donne ma parole d'honneur que je ne devine pas. Ce ne peut être qu'une méprise. 695
MADAME DE LÉRY. — Est-ce que l'adresse n'est pas dessus?
CHAVIGNY. — Ma foi si, vous avez raison. C'est singulier, je connais l'écriture.

MADAME DE LÉRY. — Peut-on voir? 700

CHAVIGNY. — C'est peut-être une indiscrétion à moi de vous la montrer, mais tant pis pour qui s'y expose. Tenez. J'ai certainement vu de cette écriture-là quelque part.

MADAME DE LÉRY. — Et moi aussi, très certainement.

CHAVIGNY. — Attendez donc... Non, je me trompe. Est-ce en bâtarde [1] ou en coulée [2]? 705

MADAME DE LÉRY. — Fi donc ! c'est une anglaise [3] pur sang [4]. Regardez-moi comme ces lettres-là sont fines. Oh ! la dame est bien élevée.

CHAVIGNY. — Vous avez l'air de la connaître. 710

MADAME DE LÉRY, *avec une confusion feinte.* — Moi ! pas du tout. (*Chavigny, étonné, la regarde, puis continue à se promener.*)

MADAME DE LÉRY. — Où en étions-nous donc de notre conversation? — Eh ! mais, il me semble que nous parlions caprice. Ce petit poulet [5] rouge arrive à propos. 715

CHAVIGNY. — Vous êtes dans le secret, convenez-en.

MADAME DE LÉRY. — Il y a des gens qui ne savent rien faire. Si j'étais de vous, j'aurais déjà deviné.

CHAVIGNY. — Voyons ! soyez franche; dites-moi qui c'est.

MADAME DE LÉRY. — Je croirais assez que c'est Mme de Blainville. 720

CHAVIGNY. — Vous êtes impitoyable, madame; savez-vous bien que nous nous brouillerons?

MADAME DE LÉRY. — Je l'espère bien, mais pas cette fois-ci.

CHAVIGNY. — Vous ne voulez pas m'aider à trouver l'énigme?

MADAME DE LÉRY. — Belle occupation ! laissez donc cela; on dirait que vous n'y êtes pas fait. Vous y penserez plus tard, quand ce ne serait que par politesse. 725

CHAVIGNY. — Il n'y a donc plus de thé? j'ai envie d'en prendre.

MADAME DE LÉRY. — Je vais vous en faire. — Dites donc que je ne suis pas bonne. 730

CHAVIGNY. — Plus je cherche, moins je trouve.

MADAME DE LÉRY. — Ah çà, dites donc, est-ce un parti pris de ne penser qu'à cette bourse? Je vais vous laisser à vos rêveries.

CHAVIGNY. — C'est qu'en vérité je tombe des nues.

MADAME DE LÉRY. — Je vous dis que c'est Mme de Blainville. Elle a réfléchi sur la couleur de sa bourse, et elle vous en envoie une autre, par repentir. Ou mieux encore : elle veut vous tenter, et voir si vous porterez celle-ci ou la sienne. 735

CHAVIGNY. — Je porterai celle-ci sans aucun doute. C'est le seul moyen de savoir qui l'a faite. 740

---

1. « Écriture qui tient le milieu entre la ronde et la coulée » (Littré). — 2. « Sorte d'écriture penchée dont toutes les lettres sont unies par des liaisons » (Littré). — 3. « Sorte d'écriture cursive » (Littré). — 4. Se dit d'un cheval, en particulier d'un cheval « anglais ». — 5. « Billet de galanterie. Se dit par plaisanterie de toute autre missive » (Littré).

ADAME DE LÉRY. — Je ne comprends pas; c'est trop profond pour moi.

HAVIGNY. — Je suppose que la personne qui me l'a envoyée me la voie demain entre les mains; croyez-vous que je m'y tromperais?

ADAME DE LÉRY, *riant.* — Ah ! c'est trop fort; je n'y tiens pas. 745

HAVIGNY. — Est-ce que ce serait vous, par hasard? (*Un silence.*)

ADAME DE LÉRY. — Voilà votre thé, fait de ma blanche main, et il sera meilleur que celui que vous m'avez fabriqué tout à l'heure. Mais finissez donc de me regarder. Est-ce que vous me prenez pour une lettre anonyme? 750

HAVIGNY. — C'est vous, c'est quelque plaisanterie. Il y a un complot là-dessous.

ADAME DE LÉRY. — C'est un petit complot assez bien tricoté [1].

HAVIGNY. — Avouez donc que vous en êtes.

ADAME DE LÉRY. — Non. 755

HAVIGNY. — Je vous en prie.

ADAME DE LÉRY. — Pas davantage.

HAVIGNY. — Je vous en supplie !

ADAME DE LÉRY. — Demandez-le à genoux, je vous le dirai.

HAVIGNY. — A genoux? tant que vous voudrez. 760

ADAME DE LÉRY. — Allons, voyons !

HAVIGNY. — Sérieusement? (*Il se met à genoux, en riant, aux pieds de Mme de Léry.*)

ADAME DE LÉRY, *sèchement.* — J'aime cette posture, elle vous va à merveille; mais je vous conseille de vous relever, afin de ne pas trop m'attendrir. 765

HAVIGNY, *se relève.* — Ainsi vous ne direz rien, n'est-ce pas?

ADAME DE LÉRY. — Avez-vous là votre bourse bleue?

HAVIGNY. — Je n'en sais rien, je crois que oui.

ADAME DE LÉRY. — Je crois que oui aussi. Donnez-la-moi, je vous dirai qui a fait l'autre. 770

HAVIGNY. — Vous le savez donc?

ADAME DE LÉRY. — Oui, je le sais.

HAVIGNY. — Est-ce une femme?

ADAME DE LÉRY. — A moins que ce ne soit un homme, je ne vois pas... 775

HAVIGNY. — Je veux dire : est-ce une jolie femme?

ADAME DE LÉRY. — C'est une femme qui, à vos yeux, passe pour une des plus jolies femmes de Paris.

HAVIGNY. — Brune ou blonde? 780

ADAME DE LÉRY. — Bleue.

HAVIGNY. — Par quelle lettre commence son nom?

ADAME DE LÉRY. — Vous ne voulez pas de mon marché? Donnez-moi la bourse de Mme de Blainville.

---

1. Comme la bourse : voir p. 113, note 2.

CHAVIGNY. — Est-elle petite ou grande?

MADAME DE LÉRY. — Donnez-moi la bourse.

CHAVIGNY. — Dites-moi seulement si elle a le pied petit.

MADAME DE LÉRY. — La bourse ou la vie !

CHAVIGNY. — Me direz-vous le nom si je vous donne la bourse?

MADAME DE LÉRY. — Oui.

CHAVIGNY, *tirant la bourse bleue.* — Votre parole d'honneur?

MADAME DE LÉRY. — Ma parole d'honneur.

CHAVIGNY *semble hésiter. Mme de Léry tend la main ; il la regarde attentivement. Tout à coup il s'assied à côté d'elle et dit gaiement.* — Parlons caprice. Vous convenez donc qu'une femme peut en avoir?

MADAME DE LÉRY. — Est-ce que vous en êtes à le demander?

CHAVIGNY. — Pas tout à fait; mais il peut arriver qu'un homme marié ait deux façons de parler, et jusqu'à un certain point deux façons d'agir.

MADAME DE LÉRY. — Eh bien ! et ce marché, est-ce qu'il s'envole? je croyais qu'il était conclu.

CHAVIGNY. — Un homme marié n'en reste pas moins un homme; la bénédiction ne le métamorphose pas, mais elle l'oblige quelquefois à prendre un rôle et à en donner les répliques. Il ne s'agit que de savoir, dans ce monde, à qui les gens s'adressent quand ils vous parlent, si c'est au réel ou au convenu, à la personne ou au personnage.

MADAME DE LÉRY. — J'entends, c'est un choix qu'on peut faire, mais où s'y reconnaît le public?

CHAVIGNY. — Je ne crois pas que, pour un public d'esprit, ce soit long ni bien difficile.

MADAME DE LÉRY. — Vous renoncez donc à ce fameux nom? Allons, voyons, donnez-moi cette bourse.

CHAVIGNY. — Une femme d'esprit, par exemple (une femme d'esprit sait tant de choses !), ne doit pas se tromper, à ce que je crois, sur le vrai caractère des gens. Elle doit bien voir au premier coup d'œil...

MADAME DE LÉRY. — Décidément, vous gardez la bourse?

CHAVIGNY. — Il me semble que vous y tenez beaucoup. Une femme d'esprit, n'est-il pas vrai, madame, doit savoir faire la part du mari, et celle de l'homme par conséquent? Comment êtes-vous donc coiffée? vous étiez tout en fleurs ce matin.

MADAME DE LÉRY. — Oui, ça me gênait, je me suis mise à mon aise. Ah ! mon Dieu, mes cheveux sont défaits d'un côté. (*Elle se lève et s'ajuste devant la glace.*)

CHAVIGNY. — Vous avez la plus jolie taille du monde. Une femme d'esprit comme vous...

MADAME DE LÉRY. — Une femme d'esprit comme moi se donne au diable, quand elle a affaire à un homme d'esprit comme vous.

CHAVIGNY. — Qu'à cela ne tienne; je suis assez bon diable.

MADAME DE LÉRY. — Pas pour moi, du moins à ce que je pense.

HAVIGNY. — C'est qu'apparemment quelque autre me fait tort.
ADAME DE LÉRY. — Qu'est-ce que ce propos-là veut dire?
HAVIGNY. — Il veut dire, que si je vous déplais c'est que quelqu'un m'empêche de vous plaire. 835
ADAME DE LÉRY. — C'est modeste et poli, mais vous vous trompez. Personne ne me plaît, et je ne veux plaire à personne.
HAVIGNY. — A votre âge, avec ces yeux-là, je vous en défie.
ADAME DE LÉRY. — C'est cependant la vérité pure.
HAVIGNY. — Si je le croyais, vous me donneriez bien mauvaise 840 opinion des hommes.
ADAME DE LÉRY. — Je vous le ferai croire bien aisément. J'ai une vanité qui ne veut pas de maître.
HAVIGNY. — Ne peut-elle souffrir un serviteur?
ADAME DE LÉRY. — Bah ! serviteurs ou maîtres, vous n'êtes que 845 des tyrans.
HAVIGNY, *se levant.* — C'est assez vrai, et je vous avoue que là-dessus j'ai toujours détesté la conduite des hommes. Je ne sais d'où leur vient cette manie de s'imposer, qui ne sert qu'à se faire haïr. 850
ADAME DE LÉRY. — Est-ce votre opinion sincère?
HAVIGNY. — Très sincère. Je ne conçois pas comment on peut se figurer que, parce qu'on a plu ce soir, on est en droit d'en abuser demain.
ADAME DE LÉRY. — C'est pourtant le chapitre premier de l'his- 855 toire universelle.
HAVIGNY. — Oui, et si les hommes avaient le sens commun là-dessus, les femmes ne seraient pas si prudentes.
ADAME DE LÉRY. — C'est possible. Les liaisons d'aujourd'hui sont des mariages, et, quand il s'agit d'un jour de noce, cela vaut la 860 peine d'y penser.
HAVIGNY. — Vous avez mille fois raison; et dites-moi, pourquoi en est-il ainsi? pourquoi tant de comédie et si peu de franchise? Une jolie femme qui se fie à un galant homme ne saurait-elle le distinguer? Il n'y a pas que des sots sur la terre. 865
ADAME DE LÉRY. — C'est une question en pareille circonstance.
HAVIGNY. — Mais je suppose que, par hasard, il se trouve un homme qui, sur ce point, ne soit pas de l'avis des sots; et je suppose qu'une occasion se présente où l'on puisse être franc sans danger, sans arrière-pensée, sans crainte des indiscrétions. (*Il* 870 *lui prend la main.*) Je suppose qu'on dise à une femme : Nous sommes seuls, vous êtes jeune et belle, et je fais de votre esprit et de votre cœur tout le cas qu'on en doit faire. Mille obstacles nous séparent, mille chagrins nous attendent si nous essayons de nous revoir demain. Votre fierté ne veut pas d'un joug, et 875 votre prudence ne veut pas d'un lien : vous n'avez à redouter ni l'un ni l'autre. On ne vous demande ni protestation, ni engagement, ni sacrifice, rien qu'un sourire de ces lèvres de rose et

un regard de ces beaux yeux. Souriez pendant que cette porte est fermée; votre liberté est sur le seuil, vous la retrouverez en quittant cette chambre. Ce qui s'offre à vous n'est pas le plaisir sans amour, c'est l'amour sans peine et sans amertume; c'est le caprice, puisque nous en parlons, non l'aveugle caprice des sens, mais celui du cœur, qu'un moment fait naître, et dont le souvenir est éternel.

MADAME DE LÉRY. — Vous me parliez de comédie; mais il paraît qu'à l'occasion vous en joueriez d'assez dangereuses. J'ai quelque envie d'avoir un caprice, avant de répondre à ce discours-là. Il me semble que c'en est l'instant, puisque vous en plaidez la thèse. Avez-vous là un jeu de cartes?

CHAVIGNY. — Oui, dans cette table; qu'en voulez-vous faire?

MADAME DE LÉRY. — Donnez-le-moi, j'ai ma fantaisie, et vous êtes forcé d'obéir, si vous ne voulez vous contredire. (*Elle prend une carte dans le jeu.*) Allons, comte, dites rouge ou noir.

CHAVIGNY. — Voulez-vous me dire quel est l'enjeu?

MADAME DE LÉRY. — L'enjeu est une discrétion *.

CHAVIGNY. — Soit. — J'appelle rouge.

MADAME DE LÉRY. — C'est le valet de pique; vous avez perdu. Donnez-moi cette bourse bleue.

CHAVIGNY. — De tout mon cœur, mais je garde la rouge, et quoique sa couleur m'ait fait perdre, je ne le lui reprocherai jamais, car je sais, aussi bien que vous, quelle est la main qui me l'a faite.

MADAME DE LÉRY. — Est-elle petite ou grande, cette main?

CHAVIGNY. — Elle est charmante, et douce comme le satin.

MADAME DE LÉRY. — Lui permettez-vous de satisfaire un petit mouvement de jalousie? (*Elle jette au feu la bourse bleue.*)

CHAVIGNY. — Ernestine, je vous adore !

MADAME DE LÉRY *regarde brûler la bourse. Elle s'approche de Chavigny et lui dit tendrement.* — Vous n'aimez donc plus Mme de Blainville?

CHAVIGNY. — Ah ! grand Dieu ! je ne l'ai jamais aimée.

MADAME DE LÉRY. — Ni moi non plus, monsieur de Chavigny.

CHAVIGNY. — Mais qui a pu vous dire que je pensais à cette femme-là? Ah ! ce n'est pas elle à qui je demanderai jamais un instant de bonheur; ce n'est pas elle qui me le donnera !

MADAME DE LÉRY. — Ni moi non plus, monsieur de Chavigny. Vous venez de me faire un petit sacrifice, et c'est très galant de votre part, mais je ne veux pas vous tromper. La bourse rouge n'est pas de ma façon.

CHAVIGNY. — Est-il possible? Qui est-ce donc qui l'a faite?

MADAME DE LÉRY. — C'est une main plus belle que la mienne. Faites-moi la grâce de réfléchir une minute, et de m'expliquer

* « On appelle *discrétion* un pari dans lequel le perdant s'oblige de donner au gagnant ce qu[e] celui-ci lui demande, à sa discrétion. » (Note de Musset.)

cette énigme à mon tour. Vous m'avez fait, en bon français, une déclaration très aimable; vous vous êtes mis à deux genoux par terre, et remarquez qu'il n'y a pas de tapis; je vous ai demandé votre bourse bleue, et vous me l'avez laissé brûler. Qui suis-je donc, dites-moi, pour mériter tout cela? Que me trouvez-vous de si extraordinaire? Je ne suis pas mal, c'est vrai, je suis jeune, et il est certain que j'ai le pied petit. Mais enfin ce n'est pas si rare. Quand nous nous serons prouvé l'un à l'autre que je suis une coquette, et vous un libertin, uniquement parce qu'il est minuit et que nous sommes en tête à tête, voilà un beau fait d'armes que nous aurons à écrire dans nos mémoires ! C'est pourtant là tout, n'est-ce pas? Et ce que vous m'accordez en riant, ce qui ne vous coûte pas même un regret, ce sacrifice insignifiant que vous faites à un caprice plus insignifiant encore, vous le refusez à la seule femme qui vous aime, à la seule femme que vous aimiez ! (*On entend le bruit d'une voiture.*) 925 930 935

CHAVIGNY. — Mais, madame, qui a pu vous instruire?...

MADAME DE LÉRY. — Parlez plus bas, monsieur, la voilà qui rentre, et cette voiture vient me chercher. Je n'ai pas le temps de vous faire ma morale, mais vous êtes homme de cœur, et votre cœur vous la fera. Si vous trouvez que Mathilde a les yeux rouges, essuyez-les avec cette petite bourse que ses larmes reconnaîtront, car c'est votre bonne, brave et fidèle femme qui a passé quinze jours à la faire. Adieu : vous m'en voudrez peut-être aujourd'hui, mais vous aurez demain quelque amitié pour moi, et, croyez-moi, cela vaut mieux qu'un caprice. Mais s'il vous en faut un absolument, tenez, voilà Mathilde; celui-là vous en fera, j'espère, oublier un autre, que personne au monde, pas même elle, ne saura jamais. (*Mathilde entre. M*me *de Léry va à sa rencontre et l'embrasse.*) 940 945 950

CHAVIGNY *les regarde ; il s'approche d'elles, prend sur la tête de sa femme la guirlande de fleurs de M*me *de Léry, et dit à celle-ci en la lui rendant.* — Je vous demande pardon, madame, elle le saura, et je n'oublierai jamais, pour ma part, qu'un jeune curé fait les meilleurs sermons. 955

TABLE DES MATIÈRES

La vie de Musset et son époque 4
Musset : l'homme 21
Musset : ses principes 22
Musset : son œuvre 24
Bibliographie 25
La comédie de *Fantasio* : genèse de l'œuvre; les sources littéraires; l'actualité politique; les représentations; la version pour la scène de 1866 27
Schéma de la comédie 37
Les personnages 40
Premier acte 41
Deuxième acte 59
Étude de *Fantasio* : l'action; les caractères; le style; l'originalité, le sens et la modernité de la pièce; *Fantasio* devant la critique; une influence directe 86
Un Caprice : présentation 101
Un Caprice 105

ILLUSTRATIONS 2, 3, 20; 26, 36, 58, 65, 84, 85, 91, 100, 103, 104

Imprimerie Berger-Levrault, Nancy – 779685-5-1986
Dépôt légal 1re édition : 1965 – Dépôt légal : mai 1986
Imprimé en France